D1308075

Les Éditions du Boréal
4447, rue Saint-Denis
Montréal (Québec) H2J 2L2
www.editionsboreal.qc.ca

L'Odyssée
de Pénélope

L'Œuf de barbe-bleue, Libre expression, 1979.

La Vie avant l'homme, Robert Laffont, 1981.

Marquée au corps, Quinze, 1983.

Les Danseuses, Quinze, 1986.

La Femme comestible, Quinze, 1987.

Meurtre dans la nuit, Éditions du Remue-ménage, 1987.

Œil-de-Chat, Robert Laffont, 1990.

La Voleuse d'hommes, Robert Laffont, 1994.

Politique de pouvoir, L'Hexagone, 1995.

La Troisième Main, Éditions de la pleine lune, 1995.

Mort en lisière, Robert Laffont, 1996.

Deux sollicitudes, entretiens avec Victor Lévy-Beaulieu, Éditions Trois-Pistoles, 1996.

Lady Oracle, Autrement, 1997.

Captive, Robert Laffont, 1998.

La petite poule rouge vide son cœur, Serpent à Plumes, 1999.

Le Cercle vicieux, Éditions du Noroît, 1999.

Faire surface, Serpent à Plumes, 2000.

Le Tueur aveugle, Robert Laffont, 2002.

La Servante écarlate, Robert Laffont, 2005.

Le Dernier Homme, Robert Laffont, 2005.

Matin dans la maison assassinée, Autre temps, 2005.

Margaret Atwood

L'Odyssée
de Pénélope

traduit de l'anglais (Canada)
par Lori Saint-Martin et Paul Gagné

Boréal

Les Éditions du Boréal reconnaissent l'aide financière du gouvernement du Canada par l'entremise du Programme d'aide au développement de l'industrie de l'édition (PADIÉ) pour ses activités d'édition et remercient le Conseil des Arts du Canada pour son soutien financier.

Les Éditions du Boréal sont inscrites au Programme d'aide aux entreprises du livre et de l'édition spécialisée de la SODEC et bénéficient du Programme de crédit d'impôt pour l'édition de livres du gouvernement du Québec.

© O. W. Toad Ltd. 2005 pour l'édition originale
© Les Éditions du Boréal 2005 pour la langue française au Canada
© Les Éditions Flammarion 2005 pour la langue française ailleurs dans le monde
Dépôt légal : 4ᵉ trimestre 2005
Bibliothèque nationale du Québec

Diffusion au Canada : Dimedia

L'édition originale de cet ouvrage a été publiée en 2005 par Canongate Books Ltd. sous le titre *The Penelopiad*.

Catalogage avant publication de Bibliothèque et Archives Canada

    Atwood, Margaret, 1939-

    [Penelopiad. Français]

    L'Odyssée de Pénélope

    (Les mythes revisités)

    Traduction de : The Penelopiad.

    Publ. en collab. avec Flammarion.

    ISBN 2-7646-0407-6

    I. Saint-Martin, Lori. II. Gagné, Paul, 1961- . III. Titre. IV. Titre : Penelopiad. Français. V. Collection : Mythes revisités.

PS8501.T86P4514   2005   C813'.54   C2005-941933-4
PS9501.T86P4514   2005

Pour ma famille

[…] *Ulysse aux mille ruses ! c'est ta grande valeur qui te rendit ta femme ; mais quelle honnêteté parfaite dans l'esprit de la fille d'Icare, en cette Pénélope qui jamais n'oublia l'époux de sa jeunesse ! son renom de vertu ne périra jamais, et les dieux immortels dicteront à la terre de beaux chants pour vanter la sage Pénélope…*

Odyssée, Chant XXIV (191-194)

Ce disant, il prenait le câble du navire à la proue azurée et le tendait du haut de la grande colonne autour du pavillon, de façon que les pieds ne pussent toucher la terre… Grives aux larges ailes, colombes qui vouliez regagner votre nid […] *vous voilà couchées au sommeil de la mort. Ainsi, têtes en ligne, et le lacet passé autour de tous les cols, les filles subissaient la mort la plus atroce, et leurs pieds s'agitaient un instant, mais très bref.*

Odyssée, Chant XXII (470-473)

Introduction

C'est par l'Odyssée d'Homère qu'on connaît le mieux le récit du retour d'Ulysse dans son royaume d'Ithaque après une absence de vingt ans. Ulysse aurait passé les dix premières années à se battre à Troie, pendant la guerre du même nom, et les dix suivantes à errer sur la mer Égée dans l'espoir de rentrer chez lui : là, il aurait subi des épreuves, vaincu des monstres ou leur aurait échappé, aurait couché avec des déesses. On a beaucoup glosé sur le personnage d'« Ulysse aux mille ruses », menteur et maître du déguisement — un homme qui mise sur son esprit pour survivre, met au point des stratagèmes et des astuces et, parfois, se montre trop futé pour son propre bien. Il bénéficie en outre de l'aide de Pallas Athéna, déesse qui admire sa prompte inventivité.

Dans l'Odyssée, Pénélope — fille d'Icare de Sparte et cousine de la splendide Hélène de Troie — incarne l'épouse fidèle par excellence. C'est une femme connue pour son intelligence et sa fidélité. En plus de pleurer et de prier pour le retour d'Ulysse, elle trompe adroitement les nombreux prétendants qui ont pris son palais d'assaut et dilapident le patrimoine d'Ulysse afin de la forcer à épouser l'un d'entre eux. Non contente de leur faire miroiter de faux espoirs, Pénélope tisse le jour un linceul qu'elle défait la nuit, différant ainsi le choix de son futur époux. L'Odyssée porte en partie sur la difficile relation entre Pénélope et son fils Télémaque, qui tente de s'affirmer non seulement vis-à-vis des importuns et dangereux prétendants, mais aussi de sa mère. Le livre s'achève sur le massacre des prétendants par Ulysse et Télémaque, la pendaison des douze servantes qui ont couché avec les prétendants et les retrouvailles d'Ulysse et de Pénélope.

L'Odyssée d'Homère n'est toutefois pas la seule version du récit. Au départ, la matière du mythe était orale, mais aussi locale, si bien que les variantes régionales abondaient. Je me suis inspirée de sources autres que l'Odyssée, surtout en ce qui concerne les détails des origines de Pénélope, son enfance, son mariage et les rumeurs scandaleuses la concernant.

J'ai choisi de faire raconter l'histoire par Pénélope et ses douze servantes pendues. Ces dernières forment un chœur chantant et dansant qui revient sans cesse sur deux questions soulevées par une lecture attentive de l'Odyssée. Comment expliquer la pendaison des douze servantes? Et que manigançait vraiment Pénélope? Le récit qui en est fait dans l'Odyssée ne résiste pas à l'analyse: il est truffé d'incohérences. J'ai toujours été hantée par l'image des douze servantes pendues; dans son Odyssée à elle, Pénélope l'est aussi.

I

Un art sans noblesse

omniscient.

Maintenant que je suis morte, je sais tout. Voilà ce que je désirais, mais ce désir ne s'est pas réalisé. Mes connaissances se sont enrichies de quelques pseudo-faits, c'est tout. Prix beaucoup trop élevé, il va sans dire, pour la satisfaction de ma curiosité.

Depuis que je suis morte — depuis, en somme, que je suis dépouillée de mes os, de mes lèvres, de mes seins —, j'ai découvert certaines choses que j'aurais préféré ignorer, comme il arrive à ceux qui écoutent aux fenêtres ou ouvrent les lettres destinées à d'autres. Vous aimeriez lire dans les esprits, dites-vous? Pensez-y à deux fois.

Ici-bas, chacun arrive muni d'un sac, du genre de ceux qu'on utilise pour emprisonner les vents, mais nos sacs à nous sont pleins de mots — les mots que nous avons prononcés, les mots que nous avons entendus, les mots qu'on a dits à notre sujet. Certains sacs sont tout petits, d'autres plus gros ; le mien est de taille raisonnable, bien qu'une bonne part des mots qu'il renferme concernent mon illustre mari. Il m'a ridiculisée, estiment certains. Tourner les autres en ridicule, c'était une de ses spécialités. Il s'est magistralement tiré d'affaire. Se tirer : encore une de ses spécialités.

Il se montrait toujours si convaincant! Nombreux sont ceux qui ont cru à sa version des faits, à quelques meurtres, quelques séductrices et quelques cyclopes près. Il m'est arrivé à moi aussi de le croire, de temps à autre. J'avais beau le savoir porté sur la ruse et le mensonge, je ne m'imaginais pas, moi, en victime de ses ruses, en dupe de ses mensonges. N'ai-je pas été fidèle? N'ai-je pas attendu, attendu, attendu, en dépit de la tentation — presque la compulsion — d'agir autrement? Une fois que la version officielle a été universellement acceptée, que restait-il de moi? Une pieuse légende. Un bâton dont on s'est servi pour taper sur la tête d'autres femmes. Pourquoi ne se montraient-elles pas aussi prévenantes, loyales et patientes que je l'avais été, moi? Voilà ce que répètent chanteurs et conteurs de tout poil. *Ne suivez pas mon exemple!* voudrais-je crier à vos oreilles — oui, c'est à vous que je parle. Mais quand j'essaie de crier, on dirait un hibou.

Évidemment, je me doutais de sa ruse, de sa rouerie, de sa roublardise, de son — comment dire? — absence de scrupules, mais je fermais les yeux. Je tenais ma langue. Si je la laissais se délier, c'était pour chanter ses louanges. Jamais un mot plus haut que l'autre, jamais de questions embêtantes, jamais d'introspection. En ce temps-là, je voulais des fins heureuses, et le plus sûr moyen d'y arriver, c'est de condamner certaines portes et de dormir sur ses deux oreilles pendant les carnages.

Une fois les principaux événements terminés et l'époque devenue moins propice à la légende, je me suis rendu compte qu'on riait de moi dans mon dos — j'étais devenue un sujet de railleries, de plaisanteries, dont quelques-unes salaces; on me transformait en récit, voire en plusieurs, mais pas du genre que j'aurais souhaité. Que peut une femme quand des commérages auréolés de scandale traversent les continents? En se défendant, elle se donnerait des allures de coupable. Je me suis remise à attendre.

Maintenant que tous les autres se sont essoufflés, à mon

tour de raconter des histoires. Je me dois de rétablir les faits. Remarquez, j'ai eu du mal à m'y résoudre : c'est un art sans noblesse. Cela attire les vieilles femmes, les mendiants, les bardes aveugles, les servantes, les enfants — tous ceux qui, en somme, ont du temps à revendre. Si, à une certaine époque, je m'étais avisée de jouer les ménestrels, on se serait payé ma tête — rien de plus absurde qu'une aristocrate s'essayant tant bien que mal à la pratique des arts. Mais qui, à cette heure, se soucie de l'opinion publique ? L'opinion de ceux d'ici-bas : celle des ombres, des échos. Je vais donc tisser une toile qui n'appartienne qu'à moi.

Le problème, c'est que je n'ai pas de bouche pour parler. Pas moyen de me faire entendre, du moins dans votre monde, celui des corps, des langues et des doigts ; la plupart du temps, je n'ai pas d'interlocuteurs de votre côté du fleuve. Et si d'aventure vous percevez un murmure, un craquement perdu, vous confondez mes mots avec le bruissement des joncs secs, les chauves-souris au crépuscule, les mauvais rêves.

Mais j'ai toujours été déterminée. Patiente, disait-on. J'aime aller jusqu'au bout.

Auteure : Sinfos
- Canadienne-anglaise
- genre (roman)
- titre souligné
- résumé + chapitre
- date (2009)
- Nationnaliste et féministe
- servante écarlate

II

Le chœur :
Comptine pour sauter à la corde

nous sommes les servantes
par vous tuées
par vous trahies

nous dansions dans l'air
pieds nus ballants
ô injustice

pas une déesse, pas une reine, pas une moins que rien
chemin faisant
auprès de qui vous n'ayez assouvi votre faim

nous avons eu beau
être bien plus sages que vous
vous avez dit : mauvaises !

vous aviez le glaive
vous aviez le verbe
à vos pieds

nous épongions le sang
de nos amours mortes
sur les chaises, le sol

les marches, les portes
nous nous agenouillions dans l'eau
tandis que vous reluquiez

nos pieds nus
ô injustice
vous léchiez notre peur

vous y preniez plaisir
leviez la main
nous regardiez tomber

nous dansions dans l'air
par vous tuées
par vous trahies

III

Mon enfance

Par où commencer ? Il n'y a que deux possibilités : au début ou ailleurs. Le véritable commencement, ce serait le commencement du monde. Après, les choses se sont enchaînées. Comme les opinions divergent à ce sujet, je vais partir de ma naissance. Mon père était Icare, roi de Sparte. Ma mère était une Naïade. À l'époque, les filles de Naïades couraient les rues. Malgré tout, une naissance à demi divine, ça ne peut pas nuire. En tout cas pas au début.

Quand j'étais petite encore, mon père a ordonné qu'on me jette à la mer. De mon vivant, je n'ai jamais trop bien compris pourquoi, mais je crois maintenant qu'un oracle avait prédit que je tisserais son linceul. S'il me tuait d'abord, s'était-il peut-être dit, le linceul en question ne verrait jamais le jour et il vivrait pour l'éternité. C'est ainsi que j'imagine son raisonnement. Dans ce cas, il a voulu me noyer dans le dessein bien compréhensible de se protéger. Il aura mal compris, ou encore l'oracle lui-même aura mal compris — les dieux ont la manie de manger leurs mots —, car il s'agissait non pas de son linceul à lui, mais de celui de mon beau-père. Cette prophétie-là s'est

19

réalisée, et il est vrai que j'ai été rudement contente d'avoir à tisser ce linceul.

On n'initie plus les petites filles aux travaux d'aiguille, à ce que je crois comprendre ; à mon époque, fort heureusement, cette pratique avait toujours cours. Il est avantageux de s'occuper les mains. Quand fuse une remarque déplacée, on peut faire la sourde oreille. Pas besoin, donc, de relever.

Mais peut-être l'hypothèse du linceul et de l'oracle est-elle sans fondement. Il est possible que je l'aie inventée de toutes pièces à seule fin de me consoler. Dans les cavernes obscures et dans les prés, on entend tant de murmures qu'on ne sait plus s'ils viennent des autres ou de l'intérieur de sa propre tête. J'utilise le mot « tête » au sens figuré. Ici-bas, en effet, nous nous passons de cet appendice.

Quoi qu'il en soit — on m'a jetée à la mer. Ai-je le souvenir des vagues qui se referment sur moi, de mes poumons qui se vident de leur air et des cloches qu'entendent, paraît-il, les noyés ? Pas le moins du monde. Mais on m'en a fait le récit : il se trouve toujours une servante, une esclave, une vieille nourrice ou une commère pour régaler une enfant du récit des sévices effroyables que lui ont infligés ses parents quand elle était encore trop petite pour s'en souvenir. Cette anecdote déprimante n'a rien fait pour me rapprocher de mon père. C'est à cet épisode — ou plutôt à ma connaissance de cet épisode — que j'attribue ma réserve tout autant que ma méfiance à l'égard des intentions d'autrui.

En tentant de noyer la fille d'une Naïade, Icare ne s'est toutefois pas montré trop futé. L'eau est notre élément, notre patrimoine. Sans nager aussi bien que nos mères, nous flottons à merveille et nous comptons de nombreuses relations parmi les poissons et les oiseaux de mer. Une volée de canards à bandes pourprées s'est portée à mon secours et m'a remorquée jusqu'au rivage. Que vouliez-vous que mon père fît en présence d'un tel augure ? Il m'a reprise, puis il m'a donné un nouveau nom — à compter de ce jour, je suis devenue « son gentil petit canard ». Sans doute se sentait-il coupable de ce qu'il avait presque réussi ; du coup, il s'est mis à me prodiguer une affection que je qualifierais d'excessive.

Il m'était difficile de lui rendre la pareille. On l'imagine sans mal. Nous marchions main dans la main, mon géniteur en apparence affectueux et moi, au bord d'une falaise, d'une rivière ou d'un parapet, et je me disais à tout moment qu'il risquait de me précipiter dans le vide ou encore de me fracasser le crâne à coups de pierre. Dans ces conditions, je ne conservais mon calme qu'à grand-peine. Au terme de nos expéditions, je me retirais dans ma chambre, où je versais des torrents de larmes. (Les pleurs excessifs, aussi bien vous le dire tout de suite, affligent la progéniture des Naïades. J'ai passé au moins le quart de mon existence à pleurer comme une Madeleine. À mon époque, heureusement, il y avait les voiles. Rien de tel pour cacher des yeux rougis, bouffis.)

Ma mère, comme toutes les Naïades, était splendide, mais froide de cœur. Elle avait une crinière ondulante, des fossettes et un joli rire en cascade. C'était une femme insaisissable. Petite, j'essayais de me jeter dans ses bras, mais elle se défilait toujours. Je me plais à croire que la volée de canards était apparue à son instigation, mais il n'en est probablement rien ; elle aimait mieux nager que s'occuper des tout-petits, et il lui arrivait souvent de m'oublier. Si mon père ne m'avait pas fait jeter à la mer, elle m'aurait peut-être elle-même laissé tomber à l'eau dans un moment de distraction ou de colère. C'était une femme capricieuse et versatile.

À la lumière de ce qui précède, vous comprendrez que, enfant, j'ai découvert très tôt les joies — si tant est qu'on puisse parler de « joies » — de l'autosuffisance. Je me suis rendu compte que j'allais devoir me défendre toute seule dans le vaste monde. Impossible, en effet, de compter sur le soutien de ma famille.

IV

Le chœur : La complainte des enfants (lamentation)

Nous étions enfants, nous aussi. Issues nous aussi des mauvais parents. Des parents indigents, esclaves, paysans ou serfs ; des parents qui nous ont vendues, des parents à qui on nous a volées. Ces parents-là n'étaient ni des dieux, ni des demi-dieux, ni des nymphes, ni des Naïades. Petites, nous travaillions au palais ; petites, nous trimions de l'aube au crépuscule. Si nous pleurions, personne ne séchait nos larmes. Si nous nous assoupissions, on nous réveillait à coups de pieds. On nous disait sans mère. On nous disait sans père. On nous disait fainéantes. On nous disait sales. Sales, nous l'étions. La saleté, c'était notre affaire, notre domaine, notre spécialité, notre tare. Nous étions sales, salaces. Si notre maître, ses fils, un noble de passage ou ses fils désiraient coucher avec nous, pas question de refuser. Inutile de pleurer, inutile de geindre. Et nous n'étions que des enfants. Jolies, nous souffrions davantage. Nous moulions la farine en prévision de banquets de noces fastueux, puis nous mangions les restes. Pour nous, il n'y aurait ni festin ni échange de somptueux cadeaux ; notre corps avait peu de valeur. Mais nous voulions chanter et danser, nous aussi ; nous voulions être heureuses, nous aussi. En grandissant, nous sommes devenues coquettes, évanescentes, nous avons cultivé en secret le sourire méprisant. Enfants, déjà, nous balancions les hanches, nous étions à l'affût, nous décochions des clins d'œil, nous nous servions de nos sourcils pour faire passer des messages ; derrière les soues à cochons, nous retrouvions des garçons, fussent-ils nobles ou ignobles. Nous nous vautrions dans la paille, la fange, la bouse, dans le lit de nos maîtres, recouvert par nos soins d'une douce toison. Nous buvions le vin laissé dans les coupes. Nous crachions dans les plats. Entre la grand-salle brillamment éclairée et l'arrière-cuisine obscure, nous nous bourrions de viande chipée. Dans nos greniers, au cœur de nos nuits, nous riions ensemble. Nous prenions notre bien là où nous le trouvions.

V

Asphodèles

Il fait noir ici, comme on l'a souvent fait remarquer. L'« ombre de la mort », disait-on. Le « sombre logis de l'Hadès » et patati et patata. Oui, bon, c'est sombre, ici, mais il y a des avantages — si vous tombez sur quelqu'un à qui vous préférez ne pas parler, par exemple, vous pouvez feindre de ne pas l'avoir reconnu.

Il y a évidemment les prés d'asphodèles. Si le cœur vous en dit, vous avez le loisir de vous y promener. Il y fait plus clair, et on y esquisse platement quelques pas de danse, quoique la réputation du lieu soit surfaite — « pré d'asphodèles » a quelque chose de poétique. Réfléchissez-y un peu. Asphodèles, asphodèles, asphodèles à perte de vue — les petites fleurs blanches ont beau être jolies, on s'en lasse, à la longue. Mieux aurait valu miser sur la diversité — un assortiment de couleurs, des sentiers tortueux, des points de vue, des bancs de pierre et des fontaines. Pour ma part, j'aurais préféré quelques jacinthes, à tout le moins. Pourquoi ne pas avoir parsemé le pré de crocus? C'était trop demander? Encore qu'il n'y ait pas de printemps, ici. Ni d'autres saisons, d'ailleurs. De quoi se demander qui a bien pu concevoir un endroit pareil.

Ai-je dit qu'il n'y a rien à manger à part les asphodèles?

Mais je ne devrais pas me plaindre.

Les grottes plus obscures offrent davantage d'intérêt. La conversation y est meilleure, pour peu que vous tombiez sur quelque petit voyou — voleur à la tire, courtier en valeurs mobilières ou proxénète sans envergure. Comme bien des saintes-nitouches, j'ai toujours eu un faible pour les hommes de cette espèce.

Je ne fréquente toutefois pas beaucoup les vrais bas-fonds. C'est là que sont châtiés les plus infâmes d'entre les infâmes, ceux qui n'ont pas été assez punis de leur vivant. Pas facile de supporter leurs cris. Comme nous n'avons plus de corps, la torture est mentale. Ce qu'aiment par-dessus tout les dieux, c'est faire apparaître des banquets — de grands plateaux chargés de viande, des monceaux de petits pains, des grappes de raisins — pour qu'ils se volatilisent aussitôt. Obliger les gens à rouler de lourds rochers le long de côtes à pic compte aussi au nombre de leurs plaisanteries favorites. Parfois, il me prend fantaisie de descendre jusque-là, dans l'espoir que les sévices m'aideront à me rappeler ce que sont la faim et la fatigue véritables.

De temps à autre, les brumes se dissipent et nous entrevoyons le monde des vivants. Un peu comme quand on frotte le carreau d'une fenêtre sale pour voir à travers. Parfois, la barrière se lève et nous pouvons sortir. Alors, nous sommes énervés comme des puces et les cris fusent.

Ces sorties prennent de multiples formes. Autrefois, quiconque souhaitait nous consulter n'avait qu'à égorger un mouton, une vache ou un cochon, puis à laisser le sang s'égoutter par une tranchée. Par l'odeur alléchés, nous accourions au triple galop, à la manière de mouches attirées par une charogne. Nous nous retrouvions là par milliers, essaim babillant et palpitant, tel le contenu d'une corbeille à papier géante agité par une tornade, tandis qu'un prétendu héros nous tenait à distance du bout de son épée, en attendant que celui qu'il voulait consulter apparaisse enfin. Ce dernier se fendait de quelques obscures prophéties ; nous avions appris à demeurer évasifs. À quoi bon tout dévoiler ? Mieux valait faire en sorte qu'ils reviennent, avec veau, vache, cochon, couvée…

Une fois que le héros avait eu droit à sa ration de mots, on nous autorisait à nous abreuver à même la tranchée, et je ne saurais louer les manières de table dont nous faisions preuve à de telles occasions. Il y avait pas mal de bousculade et d'empoignades, pas mal de gâchis et de gargouillis, pas mal de mentons cramoisis. Qu'il était bon malgré tout de sentir le sang parcourir nos veines inexistantes, ne fût-ce qu'un instant.

Il nous arrivait aussi de paraître sous forme de rêves, mais l'expérience était nettement moins satisfaisante. Il y avait aussi ceux qui, faute d'une inhumation dans les règles, restaient coincés du mauvais côté du fleuve. Ils erraient de-ci de-là, très malheureux, semant parfois le désordre.

Après des centaines, peut-être des milliers d'années — on perd facilement la notion du temps, ici, et pour cause, puisqu'il n'existe pas —, les us et coutumes ont changé. Les vivants ont cessé de descendre aux enfers, et notre modeste demeure a fini par être reléguée aux oubliettes par un établissement beaucoup plus spectaculaire — fosses enflammées, hurlements, grincements de dents, vers rongeurs, démons armés de fourches —, véritable carnaval d'effets spéciaux.

Il nous arrivait encore d'être convoqués par des magiciens et des illusionnistes — hommes qui n'hésitaient pas à pactiser avec les puissances infernales — ou par du menu fretin, clairvoyants, spirites, médiums et autres du même acabit. Tout cela était avilissant — songez qu'il nous fallait paraître au milieu d'un cercle de craie ou d'un boudoir capitonné de velours pour satisfaire les curieux —, mais, au moins, nous restions au fait de ce qui se passait chez les toujours-vivants. J'ai été très intriguée, par exemple, par l'ampoule électrique et par les théories entourant la transformation de la matière en énergie qui avaient cours au XXe siècle. Plus récemment, certains d'entre nous ont réussi à infiltrer les ondes éthérées qui encerclent désormais la planète. Voyageant de la sorte, ils contemplent le monde à travers les surfaces planes et lumineuses qui servent d'autels domestiques. Peut-être est-ce ainsi que les dieux s'y prenaient, autrefois, pour aller et venir à la vitesse grand V — sans doute bénéficiaient-ils d'un dispositif du même genre.

Je n'ai jamais eu la cote auprès des magiciens. Certes, j'étais célèbre — n'importe qui vous le dira —, mais, pour une raison que j'ignore, ils ne tenaient pas à me voir, tandis que ma cousine Hélène était très en demande. C'était injuste, me semblait-il — je ne devais ma notoriété à rien de scandaleux, en particulier sur le plan sexuel, tandis qu'elle avait fort mauvaise réputation. Évidemment, elle était très belle. Elle serait née d'un œuf, Zeus, son père, ayant emprunté la forme d'un cygne pour violer sa mère : cela lui était monté à la tête, à notre Hélène. Je me demande combien d'entre nous ont gobé cette histoire de cygne violeur. À l'époque, de tels récits abondaient — en présence de simples mortelles, les dieux, incapables de garder leurs mains, leurs pattes ou leur bec pour eux-mêmes, violaient à gauche et à droite.

Quoi qu'il en soit, les magiciens tenaient à voir Hélène, qui ne se faisait pas prier. Tous ces hommes qui la regardaient, bouche bée, c'était pour elle une façon de revivre le passé. Elle aimait paraître vêtue d'un de ses habits à la mode troyenne, un peu trop ornés, si vous voulez mon avis, mais *chacun à son goût**. Lentement, elle exécutait une sorte de pirouette ; puis, la tête inclinée, elle levait les yeux sur celui qui l'avait convoquée et lui décochait un de ces sourires enveloppants qui ont fait sa renommée. Du coup, le quidam était conquis. Ou alors elle

---

* N.d.T. En français dans le texte.

venait telle qu'elle était apparue à son mari furieux, Ménélas, pendant que Troie brûlait et qu'il s'apprêtait à lui planter dans le cœur son épée vengeresse. Il lui avait suffi alors de dénuder un de ses seins incomparables pour qu'il tombe à genoux, au comble de l'extase, et la supplie en bavant de bien vouloir le reprendre.

Quant à moi... eh bien, les gens me disaient belle — ils n'avaient guère le choix puisque j'ai été princesse et, par la suite, reine —, mais la vérité, c'est que, sans être laide ni difforme, j'avais une mine quelconque. J'étais futée, cependant, et même, compte tenu de l'époque, très futée. Voilà le trait qui a fait ma renommée : mon intelligence. Elle, mes talents de tisserande, ma fidélité envers mon mari et ma discrétion.

Si vous étiez magicien, adepte de la magie noire et disposé à risquer votre âme, aimeriez-vous mieux faire apparaître une épouse au physique banal, mais intelligente, douée pour le tissage et célèbre pour sa réputation sans tache, plutôt qu'une femme ayant plongé des centaines d'hommes dans les affres du désir et réduit une grande cité à feu et à sang?

Moi non plus.

La punition d'Hélène? Rien du tout. Zéro. Pourquoi, je vous le demande un peu? D'autres étaient étouffés par des serpents de mer, noyés dans des tempêtes, métamorphosés en araignées et transpercés de flèches pour avoir commis des crimes beaucoup moins graves. Pour avoir mangé les vaches qu'il ne fallait pas. Pour s'être vantés. Des peccadilles. Après tout le mal qu'elle a fait, toutes les souffrances qu'elle a infligées à des multitudes, elle méritait au moins le fouet. Mais non.

Non pas que ça me dérange.

Non pas que ça m'ait dérangée.

J'avais d'autres soucis en tête.

Ce qui m'amène à la question de mon mariage.

VI

Mon mariage

Mon mariage a été arrangé. C'est ainsi qu'on faisait à l'époque : là où il y avait des mariages, il y avait des arrangements. Je ne parle pas de détails comme les habits de noces, les fleurs, les banquets et la musique, qu'il fallait tout de même régler. Ces questions se posent de toute éternité et ce n'est pas fini. Les arrangements dont il est ici question sont plus tordus.

En vertu des anciennes règles, seuls les notables se mariaient parce qu'eux seuls faisaient des héritages. Le reste n'était que copulations de toutes espèces — viols ou séductions, histoires d'amour ou aventures sans lendemain, dieux se faisant passer pour des bergers ou bergers se faisant passer pour des dieux. À l'occasion, une déesse se jetait dans la mêlée, tâtait de la chair périssable à la manière d'une reine jouant les bergères, et l'heureux élu, en dédommagement de ses efforts, avait droit à une vie abrégée et souvent à une mort violente. Immortalité et mortalité ne font pas bon ménage : c'était le feu et la boue. Seulement, le feu l'emportait toujours.

Les dieux ne dédaignaient pas de semer la pagaille. Au contraire, c'est une activité dont ils raffolaient. À la vue de quelque mortel aux yeux rôtissant dans leurs orbites par suite d'une overdose de sexe divin, ils se bidonnaient. Les dieux avaient quelque chose de puéril et de méchant. J'en parle à mon aise, maintenant que je n'ai plus de corps, que je suis au-delà de la souffrance. De toute façon, les dieux ne sont pas à l'écoute. Pour ce que j'en sais, ils dorment. Dans votre monde, vous ne recevez plus la visite des dieux comme vos ancêtres en avaient l'habitude, à moins de vous droguer.

Où en étais-je, déjà ? Ah, oui. Les mariages. On se mariait pour avoir des enfants, et les enfants n'étaient ni des jouets ni des animaux de compagnie. En fait, ils servaient de courroies de transmission. Que transmettait-on ? Des royaumes, de précieux cadeaux de noces, des récits, des rancunes, des vendettas sanglantes. Par l'entremise des enfants, on scellait des alliances ; par l'entremise des enfants, on vengeait les affronts. Faire un enfant, c'était libérer une force vive.

Si vous aviez un ennemi, mieux valait tuer ses fils, même s'ils n'étaient que des nouveau-nés. Sinon, ils allaient grandir et vous traquer impitoyablement. Si l'idée de les massacrer vous répugnait, vous aviez la possibilité de les déguiser et de les envoyer au loin ou encore de les vendre comme esclaves, mais tant et aussi longtemps qu'ils restaient en vie, ils représentaient pour vous une menace.

Vous aviez des filles ? Alors, il fallait qu'elles procréent le plus vite possible pour vous donner des petits-fils. Plus votre famille comptait de mâles capables de brandir l'épée et de manier la lance, plus vous étiez en sécurité, car les autres hommes importants étaient à l'affût du moindre prétexte pour mener une offensive contre tel roi ou tel représentant de la noblesse et lui ravir tout ce qui leur tombait sous la main, ses gens y compris. Comme toute faiblesse chez un puissant éveillait la convoitise d'un autre, les rois et les nobles avaient grand besoin de toute l'aide qu'ils pouvaient trouver.

Il était donc inévitable qu'on me mariât.

À la cour du roi Icare, mon père, on avait conservé l'ancien usage d'organiser des tournois pour déterminer à qui reviendrait l'honneur d'épouser telle femme de la noblesse dont la tête était — pour ainsi dire — sur le billot. Le gagnant obtenait la femme et la noce ; en retour, on comptait sur lui pour rester au palais du père de la mariée et engendrer son lot d'héritiers de sexe masculin. En prenant épouse, il accédait à la richesse — gobelets d'or, coupes d'argent, chevaux, tuniques, armes, en somme toute la camelote que nous prisions si fort à l'époque où j'étais encore en vie. En théorie, la famille du marié devait elle aussi faire don d'une grande quantité de camelote.

J'utilise le mot « camelote » à dessein, car je sais où la plupart des objets en question ont fini. Ils ont pourri dans le sol ou coulé au fond de la mer ; ils ont été réduits en pièces ou fondus. D'autres ont abouti dans d'immenses palais où — détail curieux — on ne trouve ni roi ni reine. D'interminables processions de badauds mal fagotés parcourent ces palais en tous sens, regardent fixement les gobelets d'or et les coupes d'argent dont on ne se sert même plus. Puis ils s'engouffrent dans une sorte de marché aménagé à même le palais et achètent des images qui représentent ces objets ou encore des modèles réduits en faux or ou en faux argent. D'où le mot « camelote ».

Selon la coutume ancienne, le butin nuptial, énorme amas scintillant, restait dans la famille de la mariée, au palais de son père. Peut-être est-ce pour cette raison que le mien s'était si profondément attaché à moi après avoir tenté en vain de me noyer : là où j'étais, là serait le trésor.

(Pourquoi m'a-t-il jetée à l'eau ? La question continue de me hanter. La théorie du linceul a beau ne pas me satisfaire, je n'ai jamais réussi à trouver la réponse, même ici-bas. Chaque fois que j'aperçois au loin mon père se frayer un chemin au milieu des asphodèles et que j'essaie de le rattraper, il s'éloigne en toute hâte comme s'il me craignait. Il m'est arrivé de me dire qu'il m'a offerte en sacrifice au dieu de la mer, toujours assoiffé de vies humaines. Puis les canards m'ont sauvé la vie, sans que mon père y soit pour rien. Il expliquerait sans doute qu'il a tenu parole, si tant est qu'il l'eût donnée, et qu'il n'a donc pas triché. Le dieu de la mer ne m'a pas entraînée dans les profondeurs pour me dévorer à sa guise ? Tant pis pour lui. Plus je songe à cette version des faits, plus elle me plaît. Elle se tient.)

Imaginez-moi donc sous les traits d'une jeune fille en âge de se marier — mettons que j'aie quinze ans —, intelligente mais sans grande beauté. Disons maintenant que par la fenêtre de ma chambre, au dernier étage du palais, je contemple la cour où s'assemblent les concurrents : que de jeunes gens désireux de se battre pour ma main...

Évidemment, je ne me plante pas directement devant la fenêtre. Je ne m'y accoude pas pour espionner sans vergogne, telle une femme de chambre mal dégrossie. Non, je jette de discrets coups d'œil, dissimulée derrière mon voile et mes rideaux. Il serait inconvenant de laisser ces jeunes hommes plus ou moins dévêtus apercevoir mon visage. Les femmes du palais n'ont pas lésiné sur les moyens pour me faire belle, les ménestrels ont composé des chants en mon honneur — « radieuse comme Aphrodite » et toute la panoplie de sornettes habituelles —, mais je me sens timide et malheureuse. Les jeunes gens plaisantent et rient entre eux ; ils semblent à l'aise ; ils ne lèvent pas les yeux vers ma fenêtre.

Je sais que ce n'est pas moi qu'ils convoitent — ils n'ont que faire de Pénélope le petit canard. Ce qui les intéresse, ce sont les atouts que j'offrirai à mon mari — l'alliance avec le roi, l'amas de camelote scintillante. Aucun homme n'aurait voulu mourir par amour pour moi.

Et, d'ailleurs, aucun ne l'a jamais fait. Non pas que je tienne à tout prix à inspirer des penchants suicidaires. Je n'étais pas une mangeuse d'hommes, je n'étais pas une sirène, je n'étais pas comme ma cousine Hélène, qui multipliait les conquêtes à seule fin de montrer qu'elle en était capable. Dès que l'homme se prosternait devant elle, ce qui ne tardait jamais, elle s'éloignait sans un regard en laissant résonner son rire insouciant, comme si elle venait de voir le nain du palais en équilibre sur la tête, ridicule.

J'étais une bonne fille — meilleure qu'Hélène, croyais-je. À défaut de beauté, je me devais d'offrir autre chose. J'étais futée, tout le monde le disait — en fait, on le répétait tant que ça me démoralisait —, mais l'intelligence est une qualité qu'un homme ne prise chez sa femme qu'à condition que quelque distance la sépare de lui. De près, il se contentera, faute de mieux, de l'amabilité.

Pour moi, le prétendant le plus logique aurait été un des fils puînés d'un roi doté d'un vaste domaine — un des fils de Nestor, par exemple. L'alliance aurait été favorable pour Icare. À travers mon voile, j'ai étudié les jeunes gens qui allaient et venaient dans la cour en cherchant à deviner qui ils étaient et — détail sans incidence pratique puisqu'il ne me revenait pas de choisir mon mari — à élire mon favori.

Deux ou trois servantes m'accompagnaient — elles ne me quittaient jamais des yeux, car qui sait quel jeune coureur de dot risquait de me séduire ou de m'enlever ? C'était des servantes que je tenais mes informations. Elles étaient d'inépuisables puits de ragots : elles allaient et venaient dans le palais, libres d'examiner les hommes sous toutes les coutures, d'épier leurs conversations, de rire et de plaisanter avec eux, sans la moindre contrainte. Personne ne se souciait de savoir qui s'insinuait entre leurs cuisses.

— Qui est celui qui a la poitrine comme une barrique ? ai-je demandé.

— Lui ? Bof, c'est Ulysse, a répondu une des femmes de chambre.

On ne le considérait pas — les femmes de chambre, en tout cas — comme un candidat sérieux. Le palais de son père se trouvait à Ithaque, rocher parsemé de chèvres ; il avait les habits d'un rustre et les manières d'un caïd de village. Il avait déjà énoncé un certain nombre d'idées compliquées que les autres trouvaient bizarres. On le disait toutefois assez rusé. En fait, il l'était trop pour son bien. Les autres jeunes en avaient fait un sujet de plaisanteries :

— Ne pariez pas avec Ulysse, ami d'Hermès, disaient-ils. Vous êtes sûr de perdre votre mise.

Autant dire qu'il était un tricheur et un voleur. Son grand-père, Autolycos, qui possédait ces qualités à revendre, était réputé ne jamais avoir rien gagné de façon légitime.

— Je me demande s'il court vite, ai-je dit.

Dans certains royaumes, on adjugeait les demoiselles au vainqueur de combats de lutte ou de courses de chars ; chez nous, on se contentait de la course à pied.

— Sûrement pas. Il a les jambes trop courtes, a fait une servante peu charitable.

C'était vrai. Quand il était assis, on le remarquait moins ; debout, il avait l'air bas sur pattes.

— Je doute qu'il soit assez rapide pour vous attraper, vous, a dit une servante. À votre réveil, vous ne voudriez pas vous retrouver au lit avec votre mari et tout un troupeau de vaches d'Apollon.

Cette fine plaisanterie faisait allusion à Hermès, dont le premier acte de banditisme, le jour même de sa naissance, avait consisté en un audacieux rapt de bovidés.

— À moins qu'il n'y ait un taureau parmi elles, s'est écriée une autre.

— Ou une chèvre ! a lancé une troisième. Un gros et puissant bélier ! Je parie que ça plairait à notre petit canard. Avant longtemps, elle se mettrait à bêler !

— Je ne cracherais pas dessus, moi non plus, a fait une quatrième. Je préfère encore un bélier aux nains du bas qu'on trouve par ici.

Elles ont toutes pouffé de rire en se cachant la bouche des mains et en grognant d'allégresse.

J'étais morte de honte. Comme je ne comprenais pas leurs blagues les plus salaces, du moins pas encore, je ne savais pas exactement pourquoi elles riaient, mais je me doutais bien qu'elles se payaient ma tête. Je n'avais toutefois aucun moyen de les faire taire.

À ce moment précis, ma cousine Hélène a fait une entrée remarquée, à la manière du cygne au long cou pour lequel elle se prenait. Elle avait une démarche chaloupée bien à elle, qu'elle exagérait à dessein. Même si c'était moi qui devais me marier, elle tenait à être le centre de l'attention. Elle était aussi belle que d'habitude, plus même : sa beauté avait quelque chose d'intolérable. Sa mise aussi frôlait la perfection : Ménélas, son mari, y veillait. Il empestait l'argent et ne lésinait pas sur la dépense. La tête légèrement inclinée, elle m'a regardée d'un air désinvolte, comme pour flirter. Je la soupçonnais pour ma part de flirter avec son chien, son miroir, son peigne et les montants de son lit. Question de ne pas perdre la main.

— Je pense qu'Ulysse conviendrait à merveille à notre petit canard chéri, a-t-elle fait. Elle aime la vie paisible. Eh bien, elle sera servie, à Ithaque, s'il l'emmène là-bas, comme il se vante d'en avoir l'intention. Elle l'aidera à garder les chèvres. D'ailleurs, Ulysse et elle sont faits l'un pour l'autre. Ils ont les jambes si courtes, tous les deux.

Elle avait parlé d'un ton badin, mais c'était toujours le cas lorsqu'elle se montrait cruelle. Pourquoi les êtres vraiment beaux croient-ils que le reste de la création n'a pour fonction que de les amuser ?

Les servantes ont ri sous cape. J'ai cru mourir de honte. Jusque-là, il ne m'avait pas semblé que mes jambes fussent particulièrement courtes, et jamais je n'aurais pensé qu'Hélène les remarquerait. S'agissant des grâces et des misères d'autrui, rien, cependant, ne lui échappait. C'est pour cette raison qu'elle a plus tard eu des ennuis à l'apparition de Pâris — il était beaucoup plus beau que Ménélas, pataud et rouquin. Le mieux qu'on a trouvé à dire de Ménélas, dès l'instant où il était entré dans les poèmes, c'est qu'il avait une voix de stentor. Les servantes se sont toutes tournées vers moi dans l'attente de ma riposte. Hélène avait l'art de laisser ses interlocuteurs bouche bée — et je ne faisais pas exception à la règle.

— Ne t'en fais pas, petite cousine, a-t-elle dit en me tapotant le bras. On le dit intelligent. Toi aussi, à ce qu'il paraît. Tu seras donc en mesure de le comprendre. Moi, j'en serais certainement incapable ! Encore heureux qu'il ne m'ait pas gagnée, moi !

Elle m'a gratifiée du sourire condescendant de qui aurait levé le nez sur un bout de saucisse faisandée. Ulysse avait effectivement compté parmi les soupirants d'Hélène ; à l'instar de tous les hommes de la terre, il avait ardemment désiré obtenir sa main. Voilà qu'il disputait à ses concurrents ce qui ne serait jamais, au mieux, qu'un prix de consolation.

Après avoir craché son venin, Hélène s'est éloignée. Les servantes se sont mises à commenter son collier splendide, ses boucles d'oreille scintillantes, son nez parfait, sa coiffure élégante, ses yeux lumineux, l'ourlet de sa robe lustrée, tissée avec goût. C'était comme si je n'étais pas là. Le jour de mes noces, par-dessus le marché.

Tout cela m'a porté sur les nerfs. Je me suis mise à pleurer, comme cela allait m'arriver si souvent par la suite, et on m'a fait allonger sur mon lit.

J'ai donc manqué la course proprement dite. C'est Ulysse qui l'a gagnée. Il avait triché, ai-je appris plus tard. Oncle Tyndare, frère de mon père et père d'Hélène — même si, je vous l'ai dit, on prétend que Zeus était son vrai géniteur —, lui avait donné un coup de main. Il avait mélangé au vin des autres concurrents une drogue qui les avait ralentis imperceptiblement; quant à Ulysse, il avait avalé une potion à l'effet contraire. Si je comprends bien, de telles pratiques ont toujours cours chez les vivants qui participent à des compétitions d'athlétisme.

Pourquoi oncle Tyndare a-t-il prêté son concours à mon futur mari? Ils n'étaient ni amis ni alliés. Qu'y gagnait Tyndare? Jamais — je vous prie de me croire — mon oncle n'aurait aidé qui que soit par pure bonté d'âme, sentiment qui lui était étranger.

Selon une version des faits, Tyndare m'aurait livrée sur un plateau d'argent en contrepartie d'un service que lui aurait rendu Ulysse. À l'époque où tous se disputaient la main d'Hélène, les tempéraments s'étaient échauffés, et Ulysse avait obtenu des autres prétendants qu'ils s'engagent sur l'honneur à défendre le gagnant contre quiconque tenterait de lui arracher son trésor. Il avait ainsi calmé les esprits, et Ménélas avait pu sans anicroches épouser sa belle. Sans doute Ulysse était-il conscient de n'avoir aucune chance lui-même. C'est à ce moment — à en croire la rumeur — qu'il avait passé un marché avec Tyndare : en échange d'un mariage sans histoire et très lucratif pour la radieuse Hélène, Ulysse recevrait la plate Pénélope.

J'ai moi-même une autre hypothèse dont je vous fais part à l'instant. Tyndare et mon père, Icare, étaient tous deux rois de Sparte. Ils étaient censés régner une année sur deux, à tour de rôle. Tyndare, cependant, convoitait le trône pour lui tout seul et, plus tard, il est effectivement parvenu à ses fins. On se doute bien que Tyndare avait sondé les soupirants sur leurs projets et leurs intentions. Il avait ainsi découvert qu'Ulysse défendait la dernière idée à la mode, selon laquelle c'était la mariée qui partait s'installer dans la famille de son mari et non le contraire. Que nous nous en allions au loin, mes fils éventuels et moi, faisait l'affaire de Tyndare. Nous serions ainsi moins nombreux à voler au secours d'Icare en cas de guerre.

Quoi qu'il en soit, Ulysse a triché et gagné la course. J'ai surpris Hélène qui affichait un sourire moqueur pendant les rites du mariage. Elle devait se dire qu'on m'avait fourguée à un péquenot qui s'empresserait de m'enterrer dans un sinistre trou perdu, idée qui ne lui déplaisait pas du tout. Sans doute savait-elle depuis longtemps que les dés étaient pipés.

Quant à moi, j'ai eu du mal à tenir jusqu'au bout de la cérémonie — les animaux sacrifiés, les aspersions d'eaux lustrales, les libations, les prières, les chants interminables. J'avais le vertige. Comme je refusais de lever les yeux, je ne voyais que le bas du corps d'Ulysse. «Il a les jambes courtes», ne pouvais-je m'empêcher de penser, même aux moments les plus solennels. Pensée inconvenante — frivole et idiote, elle me donnait envie de rire —, mais, à ma décharge, je rappelle que je n'avais que quinze ans.

VII

La cicatrice

C'est ainsi que je suis passée aux mains d'Ulysse, tel un morceau de viande. Un morceau de viande emballé dans du papier d'or, cependant. Une sorte de boudin doré.

L'analogie vous semble peut-être trop crue. Permettez-moi de préciser que nous prisions la viande au plus haut point — les aristocrates en ingurgitaient des quantités folles, de la viande, de la viande, toujours de la viande, qu'on faisait invariablement rôtir : nous ne vivions pas à l'ère de la *haute cuisine**. Ah oui, j'oubliais : il y avait aussi du pain, c'est-à-dire du pain sans levain, du pain, du pain, toujours du pain, et du vin, du vin, toujours du vin. Il nous arrivait bien aussi de manger un fruit ou un légume à l'occasion, mais vous n'en avez probablement jamais entendu parler, parce qu'ils ne se retrouvaient pas souvent dans les chants.

Les dieux aimaient la viande autant que nous, mais nous ne leur cédions jamais que les os et la graisse, par suite d'un tour de passe-passe rudimentaire mis au point par Prométhée : il faut être idiot pour se laisser refiler un sac rempli de bas

---

* *N.d.T.* En français dans le texte.

morceaux de bœuf travestis en morceaux de choix, et pourtant Zeus s'était laissé prendre, ce qui prouve que les dieux n'étaient pas aussi malins qu'ils voulaient bien nous le laisser croire.

Si j'en parle à mon aise, c'est que je suis morte. Vivante, je n'aurais jamais osé m'exprimer de la sorte. Les dieux nous espionnaient sans cesse, déguisés qui en mendiant, qui en vieil ami, qui en parfait étranger. Il est vrai que j'ai parfois douté de leur existence. De mon vivant, cependant, je jugeais prudent de ne courir aucun risque.

À mon banquet de noces, la bonne chère abondait — de gros morceaux de viande bien grasse, de grands disques de pain parfumé, d'énormes cruches de vin vieilli. À les voir s'empiffrer, on aurait pu penser que les invités allaient exploser. Il n'y a rien de mieux que l'aubaine d'un repas gratuit pour favoriser la gloutonnerie, ainsi que j'allais le découvrir plus tard.

À l'époque, nous mangions avec les doigts. Certes, on entendait force rongements et mastications bien sonores, mais, au fond, c'était mieux ainsi — il n'y avait pas d'instruments tranchants que vous risquiez de planter dans le cœur d'un convive vous ayant offensé. À tout mariage précédé d'un tournoi, il y avait forcément quelques mauvais perdants ; à l'occasion de mon banquet, cependant, aucun prétendant malheureux ne perdit son sang-froid. On aurait plutôt dit qu'ils s'étaient fait rafler aux enchères le cheval qu'ils convoitaient.

Comme le vin n'avait pas été assez coupé, la griserie a gagné un grand nombre de convives. Même mon père, le roi Icare, s'est passablement enivré. Il se doutait que Tyndare et Ulysse l'avaient trompé, il en avait en fait la quasi-certitude, mais il ignorait comment ils s'y étaient pris. Il en avait conçu de la colère, et quand il était en colère, il buvait encore plus que d'habitude et insultait les grands-parents de tout un chacun. Comme il était roi, on ne le provoquait pas en duel.

Ulysse lui-même n'avait pas succombé à l'ivresse. Il savait

donner l'impression de boire beaucoup sans qu'il en soit rien. L'homme qui, comme lui, vit d'expédients, m'a-t-il confié plus tard, doit avoir l'esprit présent et affûté, à la manière d'une hache ou d'une épée. Seuls les idiots, disait-il, tirent gloriole des quantités d'alcool qu'ils ingurgitent. Il en résulte inévitablement des concours de beuverie, des fautes d'inattention et la perte de vos capacités, et c'est ce ramollissement qu'attend l'ennemi.

Quant à moi, je n'ai pas touché à mon assiette. J'étais trop nerveuse. J'étais restée là, cachée sous mon voile de mariée, osant à peine regarder Ulysse. J'étais sûre qu'il allait connaître une vive déception lorsqu'il le soulèverait enfin, ce voile, et se frayerait un chemin à travers la mante, le corset et la tunique chatoyante dont on m'avait attifée. Il n'avait toutefois pas un regard pour moi, pas plus que les autres, au demeurant. Tous n'avaient d'yeux que pour Hélène, qui distribuait les sourires à la ronde. En la voyant, chacun avait le sentiment qu'elle était secrètement amoureuse de lui seul.

Encore heureux qu'Hélène ait distrait tout le monde, je suppose, car mes tremblements et ma gaucherie sont passés inaperçus. Ma nervosité a fait place à une véritable terreur. Les servantes m'avaient bourré le crâne de récits selon lesquels, aussitôt entrée dans la chambre nuptiale, j'allais être déchirée comme la terre par la charrue. Je sortirais de l'épreuve endolorie et humiliée.

Quant à ma mère, elle a cessé de nager comme un dauphin le temps d'assister à mes noces, ce dont j'aurais dû lui savoir gré. Elle s'est assise sur son trône, à côté de mon père, vêtue de bleu frais, une petite flaque d'eau se formant à ses pieds. Tandis que les servantes me faisaient changer de costume pour la énième fois, elle m'a tenu un petit discours qui, sur le coup, m'a paru d'une utilité discutable. Ses propos ont été pour le moins obliques ; mais voilà, toutes les Naïades s'expriment de la sorte.

Voici ce qu'elle m'a dit :

L'eau n'offre pas de résistance. Elle coule. En y plongeant la main, on ne sent qu'une caresse. L'eau ne forme pas un mur; elle ne t'arrêtera pas. Mais l'eau va là où elle veut; en fin de compte, rien ne peut s'opposer à sa volonté. L'eau est patiente. L'eau qui coule use la pierre. Souviens-t'en, mon enfant. Souviens-toi que tu es à moitié eau. Si tu n'arrives pas à traverser un obstacle, contourne-le. C'est ainsi que fait l'eau.

Après les cérémonies et le festin, il y a eu l'habituelle procession jusqu'à la chambre nuptiale, accompagnée des habituels flambeaux, plaisanteries vulgaires et vociférations avinées. Le lit a été décoré de guirlandes, le seuil aspergé, des libations ont été faites. On a posté un cerbère devant la porte pour empêcher la mariée effrayée de s'enfuir tout autant que pour éviter que ses amies, en entendant ses cris, ne défoncent la porte pour voler à son secours. Tout cela n'était que du théâtre : la fiction voulait que la mariée ait été enlevée, et la consommation du mariage était réputée constituer une forme de viol sanctionné. Il s'agissait d'une conquête, du piétinement d'un adversaire, d'un pseudo-assassinat. Il fallait du sang.

Une fois la porte refermée, Ulysse m'a fait asseoir au bord du lit en me prenant par la main.

— Oublie tout ce qu'on t'a raconté, a-t-il chuchoté. Je ne vais pas te faire de mal. En tout cas, pas beaucoup. Tu nous rendrais à tous deux un fier service en faisant semblant. On m'a dit que tu étais futée. Tu te crois capable de pousser un ou deux cris ? Ça leur donnera satisfaction — ils écoutent à la porte —, puis ils nous laisseront en paix et nous aurons tout le temps de devenir amis.

C'était l'un des grands secrets de sa force de persuasion — faire croire que, devant un obstacle commun, on devait s'unir à lui pour le surmonter. Il réussissait presque toujours à convaincre son interlocuteur de s'associer à la petite conspiration qu'il avait ourdie. Nul n'y parvenait mieux que lui : pour une fois, les récits ne mentent pas. Sans compter qu'il avait une voix magnifique, profonde et sonore. Évidemment, j'ai accédé à sa demande.

Un peu plus tard, je me suis rendu compte qu'Ulysse n'était pas de ceux qui, après l'acte charnel, vous tournent le dos et se mettent à ronfler. Non pas que j'eusse moi-même été exposée à cette habitude typiquement masculine. Mais, je le répète, j'avais beaucoup écouté les servantes. Non, Ulysse, qui aimait parler, était un excellent raconteur que je prenais plaisir à écouter. Je crois que c'est ce qui lui plaisait le plus chez moi : ma capacité d'apprécier ses récits. Chez les femmes, il s'agit d'un talent sous-estimé.

Comme j'ai remarqué la longue cicatrice sur sa cuisse, il m'a raconté dans quelles circonstances il en avait hérité. Je le répète, son grand-père, Autolycos, se disait le fils d'Hermès. Façon, peut-être, d'affirmer qu'il était un fieffé voleur, tricheur et menteur et que le sort l'avait favorisé dans ces trois activités.

Autolycos était le père de la mère d'Ulysse, Anticlée, qui avait épousé le roi Laërte d'Ithaque. C'était donc ma belle-mère. On tenait des propos calomnieux au sujet d'Anticlée — elle aurait été séduite par Sisyphe, qui serait le véritable père d'Ulysse —, mais j'avais du mal à y croire. Qui, en effet, aurait eu la lubie de séduire Anticlée ? Autant séduire la figure de proue d'un navire. Mais laissons la fable tenir, pour le moment.

Sisyphe était si rusé qu'il aurait, disait-on, trompé la mort deux fois : la première en convainquant le roi Hadès de mettre des menottes que Sisyphe avait par la suite refusé de déverrouiller, la seconde en persuadant Perséphone de le laisser sortir des enfers parce qu'il n'avait pas été inhumé correctement et que, par conséquent, il n'aurait pas dû se trouver sur la rive du Styx réservée aux morts. Si on prêtait foi à la rumeur voulant qu'Anticlée eût été infidèle, les deux branches principales de l'arbre généalogique d'Ulysse comprenaient donc des hommes rusés et sans scrupules.

Quoi qu'il en soit, son grand-père, Autolycos — qui avait choisi le prénom du petit-fils —, avait invité Ulysse à venir au mont Parnasse chercher les présents promis à sa naissance. Et Ulysse avait fait le voyage. À cette occasion, il avait chassé le sanglier en compagnie des fils d'Autolycos. C'était un sanglier particulièrement féroce qui, l'ayant chargé, lui avait lacéré la cuisse.

À sa façon de raconter l'incident, je me suis dit qu'il y avait anguille sous roche. Pourquoi le sanglier avait-il attaqué Ulysse et épargné les autres? Ces derniers savaient-ils que la bête rôdait dans les parages? Avaient-ils conduit Ulysse dans un guet-apens? Voulaient-ils qu'Ulysse meure pour qu'Autolycos puisse garder les présents promis? Possible.

Je me plaisais en tout cas à le croire. Je me plaisais à l'idée d'avoir quelque chose en commun avec mon mari : dans notre jeunesse, nous avions tous deux failli être détruits par des membres de notre famille. Raison de plus de nous serrer les coudes et de ne pas faire trop vite confiance aux autres.

En contrepartie de l'explication de la cicatrice, j'ai fait à Ulysse le récit de ma quasi-noyade et de mon sauvetage par les canards. Il m'a montré de l'intérêt, posé des questions et témoigné de la sympathie — toutes qualités attendues d'un confident.

— Mon pauvre petit canard, a-t-il dit en me caressant doucement. Ne t'en fais pas. Il ne me viendrait jamais à l'idée de jeter à la mer une fille si précieuse.

À ces mots, j'ai versé encore quelques larmes, qui m'ont valu d'être réconfortée comme il seyait lors d'une nuit de noces.

Au lever du soleil, Ulysse et moi étions donc amis, comme il l'avait promis. Pour dire les choses autrement : j'avais, moi, conçu des sentiments d'amitié — voire d'amour et de passion — envers lui, et il s'était comporté comme s'il me rendait la pareille. Ce qui ne veut pas tout à fait dire la même chose.

Au bout de quelques jours, Ulysse a annoncé son intention de nous ramener chez lui à Ithaque, ma dot et moi. Mon père en a manifesté de la contrariété — il tenait à ce qu'on respecte l'ancienne coutume, a-t-il dit, c'est-à-dire qu'il voulait nous avoir à sa merci, tous les deux, sans parler de notre richesse nouvellement acquise. Mais nous avons pu compter sur le soutien d'oncle Tyndare, dont le gendre était le mari d'Hélène, le puissant Ménélas. En fin de compte, Icare a dû céder.

Vous avez sans doute entendu dire que mon père a couru derrière notre char en me suppliant de rester près de lui et qu'Ulysse m'a demandé si je l'accompagnais à Ithaque de mon plein gré ou si je préférais demeurer chez mon père. En guise de réponse, raconte-t-on, j'ai baissé mon voile, trop modeste pour formuler en mots le désir que j'avais de mon mari. Plus tard, on a érigé une statue à mon effigie en guise d'hommage aux vertus de la Modestie.

Le récit n'est pas sans fondement. Si j'avais baissé mon voile, c'était cependant pour dissimuler mon rire. Admettez qu'il était cocasse de voir un père ayant autrefois balancé sa fille à la mer courir à sa suite sur la route en criant :

— Reste avec moi !

Je n'en avais aucune envie. À ce moment, il me tardait de quitter la cour de Sparte. N'y ayant pas été très heureuse, je brûlais du désir d'entreprendre une nouvelle vie.

VIII

Le chœur : Si j'étais une princesse
(air populaire)

Interprété par les servantes accompagnées d'un violon,
d'un accordéon et d'un sifflet à roulette

La première servante :
Si j'étais une princesse, parée d'or et d'argent,
Aimée d'un héros, je me rirais de l'outrage du temps :
Ah, si un jeune héros me venait épouser,
Je serais toujours belle, heureuse et délivrée !

Le chœur :
Voguez, ma mie, sur les flots sombres —
L'eau en dessous est noire comme une ombre
Et peut-être coulera-t-il, votre bleu bateau,
Car c'est l'espoir, et lui seul, qui vous garde à flot.

La deuxième servante :
Je cours çà et là, j'écoute et j'obéis,
Oui, madame, non, madame, je dis merci,
Je souris et je dis oui, la mine basse,
Je fais les lits douillets où d'autres se prélassent.

La troisième servante :
Ô dieux, ô prophètes, veuillez changer ma vie
Et faire qu'un jeune héros à moi se lie.
Mais il ne vient pas, celui que je désire tant.
Une vie de labeur, et c'est la mort qui m'attend !

Le chœur :
Voguez, ma mie, sur les flots sombres —
L'eau en dessous est noire comme une ombre
Et peut-être coulera-t-il, votre bleu bateau,
Car c'est l'espoir, et lui seul, qui vous garde à flot.

Les servantes font la révérence.

Mélantho aux belles joues passe le chapeau.

Merci, monsieur. Merci. Merci. Merci. Merci.

IX

La pie fidèle

Le voyage jusqu'à Ithaque, pour moi en tout cas, a été long et effrayant, source d'impitoyables nausées. J'ai passé la majeure partie du trajet allongée ou en train de vomir, parfois les deux en même temps. Si j'avais l'océan en aversion, c'est peut-être à cause de l'expérience que j'avais vécue, enfant ; peut-être aussi le dieu de la mer, Poséidon, était-il toujours contrarié de ne pas m'avoir dévorée.

J'ai donc peu profité des beautés du ciel et des nuages dont me faisait part Ulysse, les rares fois où il venait prendre de mes nouvelles. Il passait tout son temps à l'étrave, à scruter l'horizon tel l'aigle, à l'affût de récifs, de serpents de mer ou d'autres *comparaison* dangers (j'imagine), ou à la barre, ou encore à diriger le navire par quelque autre moyen — je n'en savais trop rien puisque c'était la première fois que je mettais les pieds sur un bateau.

Depuis le jour de nos noces, je tenais Ulysse en très haute estime. Je l'admirais énormément et je me faisais une idée démesurée de ses capacités — n'oubliez pas que je n'avais que quinze ans. Lui faisant une confiance aveugle, je le considérais comme un capitaine de vaisseau infaillible. *Comparaison*

Nous avons fini par arriver à Ithaque et le navire a gagné le port, entouré d'abruptes falaises rocheuses. Des guetteurs avaient sans doute allumé des feux à notre approche parce que le port grouillait de monde. Il y a eu quelques acclamations et pas mal de bousculade parmi ceux qui cherchaient à me voir tandis qu'on me faisait débarquer — preuve tangible de la réussite d'Ulysse, qui ramenait dans ses bagages une épouse noble et les riches présents qui l'accompagnaient.

Ce soir-là, les aristocrates de la ville ont eu droit à un grand banquet. J'y ai paru, portant un voile scintillant et l'une des plus belles tuniques brodées que j'avais apportées avec moi, accompagnée de ma servante, cadeau de noces de mon père, qui m'avait également suivie. Actoris, c'était son nom, n'était pas du tout enchantée de se trouver à Ithaque à mes côtés. Elle n'aurait voulu quitter ni les splendeurs du palais de Sparte ni ses amies servantes, et je ne lui en faisais pas reproche. Sans compter qu'elle n'était plus de la toute première jeunesse — mon père était étourdi, mais pas au point de désigner, pour m'accompagner, une jeune fille en fleurs qui risquerait de se tailler une place dans le cœur d'Ulysse, surtout que l'une de ses tâches consistait à monter chaque nuit la garde à la porte de notre chambre pour éviter les interruptions —, et elle n'a pas fait long feu. Sa mort m'a laissée seule à Ithaque, étrangère au milieu d'un peuple étrange.

Ces jours-là, j'ai beaucoup sangloté, seule dans mon coin. Je m'efforçais de dissimuler mon malheur à Ulysse, par crainte de passer pour une ingrate. Lui-même se montrait tout aussi attentif et délicat qu'au début, même s'il se comportait plutôt avec moi comme un adulte envers une enfant. Je le surprenais souvent en train de m'étudier, la tête de côté, le menton en appui sur la main, comme si je représentais pour lui une énigme. J'allais bientôt découvrir que c'était l'attitude qu'il adoptait en toutes circonstances.

Il m'a un jour dit que chacun a une porte secrète, celle qui s'ouvre sur le cœur, et qu'il se faisait un point d'honneur d'en trouver la poignée. Car le cœur était à la fois la clé et le verrou.

Quiconque domptait le cœur des hommes et découvrait leurs secrets progressait d'autant sur la voie de la conquête des Parques et de la maîtrise de l'écheveau de sa propre destinée. Non pas, s'est-il empressé d'ajouter, qu'aucun homme puisse rêver d'y parvenir. Même les dieux, a-t-il ajouté, ne surpassaient pas en puissance les trois sœurs fatales. Bien qu'il eût évité de mentionner leurs noms, il a eu la précaution de cracher pour se préserver du mauvais œil ; pour ma part, j'ai frissonné à la pensée de ces femmes qui, dans leur caverne lugubre, filaient les vies, les mesuraient, les tranchaient.

— Y a-t-il une porte secrète ouvrant sur mon cœur ? lui ai-je demandé d'une manière que j'espérais séduisante et enjouée. L'aurais-tu trouvée, par hasard ?

Ulysse s'est contenté de sourire.

— À toi de me le dire.

— Et ton cœur à toi ? lui ai-je demandé. A-t-il, lui aussi, une porte secrète ? En aurais-je trouvé la clé ?

Je rougis à la pensée du ton cajolant sur lequel j'ai proféré ces paroles. En plein le genre de minauderie dont Hélène était capable. Mais Ulysse, qui s'était tourné, regardait par la fenêtre.

— Un navire est entré dans le port. Je ne le reconnais pas.

Il a froncé les sourcils.

— Tu attends des nouvelles ? lui ai-je demandé.

— J'attends toujours des nouvelles, a-t-il répondu.

Ithaque n'avait rien d'un paradis. Le vent y soufflait en permanence ; la pluie et le vent étaient souvent au rendez-vous. Par rapport à ceux que j'avais connus, les nobles faisaient figure de troupeau déguenillé. Le palais, quoique convenable, n'avait rien de majestueux.

Il y avait effectivement beaucoup de rochers et de chèvres, ainsi que mes compatriotes me l'avaient dit. Cependant, on y trouvait aussi des vaches, des moutons et des cochons, des céréales pour faire du pain et parfois une poire, une pomme ou une figue de saison. Nous ne manquions de rien ; avec le temps, j'ai fini par m'habituer à l'endroit. Avoir Ulysse pour mari, ce n'était pas rien, car il jouissait d'une très haute considération dans la région, et ils étaient nombreux à lui soumettre des requêtes ou à prendre conseil auprès de lui. Certains venaient même de loin pour le consulter ; il avait en effet la réputation d'être un homme capable de dénouer une affaire compliquée, quitte, il faut bien le dire, à en nouer une autre encore plus compliquée.

À l'époque, son père, Laërte, et sa mère, Anticlée, vivaient encore au palais. Les veilles, l'attente de son fils Ulysse et, me semble-t-il, ses problèmes de vésicule biliaire n'avaient pas encore tué Anticlée. Quant à son père, désespéré par l'absence de son fils, il n'avait pas encore quitté le palais pour aller vivre dans une bicoque et se punir en cultivant la terre. Tout cela n'arriverait que des années après le départ d'Ulysse. Pour l'heure, rien ne laissait présager une telle éventualité.

Ma belle-mère était circonspecte. C'était une femme pincée ; malgré le bon accueil qu'elle m'avait fait pour la forme, je sentais sa réprobation. Elle n'arrêtait pas de répéter que j'étais certes très jeune. Ulysse lui a fait remarquer un jour, narquois, que c'était un défaut qui se corrigerait avec le temps.

La femme qui m'a donné le plus de fil à retordre, au début, c'est Euryclée, l'ex-nourrice d'Ulysse. Si elle jouissait du respect de tous, disait-elle, c'était parce qu'on pouvait se fier à elle sans réserve. Elle faisait partie de la maisonnée depuis que le père d'Ulysse l'avait achetée comme esclave ; il l'appréciait tant qu'il n'avait même pas couché avec elle.

— Imagine un peu, gloussait-elle, satisfaite d'elle-même. Moi, une esclave ! Et, à l'époque, je n'avais rien d'un laideron !

Selon certaines servantes, Laërte s'était abstenu non pas par respect pour Euryclée, mais plutôt par crainte de sa femme qui, s'il s'était embarrassé d'une concubine, lui en aurait fait voir de toutes les couleurs.

— Cette Anticlée a de quoi glacer les couilles d'Hélios, a joliment affirmé l'une d'entre elles.

J'aurais dû la réprimander pour son impudence, bien sûr, mais je n'ai pu m'empêcher de rire.

Euryclée s'est fait un devoir de me prendre sous son aile et de me guider dans le palais pour me montrer où tout se trouvait et, comme elle ne cessait de le répéter, « comment nous faisons les choses ici ». J'aurais dû la remercier du fond du cœur plutôt que du bout des lèvres, car rien n'est plus embarrassant que de commettre un impair et, du même souffle, de trahir votre méconnaissance des usages du monde qui vous entoure. Faut-il se couvrir la bouche pour rire ? En quelles circonstances doit-on porter le voile ? Quelle proportion du visage est-il censé cacher ? À quelle fréquence est-il raisonnable d'exiger un bain ? Euryclée était spécialiste de toutes ces questions. Encore heureux, puisque ma belle-mère, Anticlée — à qui cet enseignement aurait dû revenir —, se contentait de m'observer en silence, son éternel petit sourire pincé aux lèvres, tandis que je me couvrais de ridicule. Elle se réjouissait du bon coup de son fils adoré — une princesse de Sparte n'était pas exactement du menu fretin —, mais je pense qu'elle n'aurait pas été mécontente que le mal de mer m'emporte pendant que nous faisions voile vers Ithaque et qu'Ulysse rentre avec les cadeaux de noces, mais sans la mariée. En ma présence, son expression favorite était :

— Tu n'as pas l'air bien.

Je l'évitais tant que je pouvais et je recherchais plutôt la compagnie d'Euryclée, qui avait à tout le moins le mérite d'être aimable. Elle était un puits de renseignements sur les familles nobles des environs, et c'est ainsi que j'ai appris à leur sujet quantité de secrets inavouables qui allaient me servir plus tard.

Elle parlait sans arrêt, et personne au monde ne connaissait Ulysse mieux qu'elle. Elle savait tout de ses goûts, de ses préférences. Ne l'avait-elle pas nourri au sein ? N'avait-elle pas veillé sur lui quand il était bébé ? Ne l'avait-elle pas élevé ? Personne d'autre qu'elle ne devait lui donner son bain, oindre ses épaules, préparer son repas du matin, enfermer à clé ses objets précieux, préparer sa tunique et ainsi de suite. Elle ne me laissait rien à faire, pas le moindre petit office dont j'aurais pu me charger pour le compte de mon mari. Si, en effet, je m'avisais d'effectuer pour lui quelque tâche, elle fondait aussitôt sur moi en affirmant péremptoirement que ce n'était pas ainsi qu'Ulysse voulait les choses. Elle trouvait à redire jusqu'aux tuniques que je lui confectionnais — elles étaient invariablement trop légères, trop lourdes, trop grossières ou trop fragiles.

— Parfait pour l'intendant, disait-elle, mais certainement pas pour Ulysse.

Néanmoins, elle s'efforçait d'être gentille avec moi, à sa façon.

— Il faut vous engraisser un peu, disait-elle, afin que vous donniez à Ulysse un beau gros garçon ! Tel est votre travail. Je me charge du reste.

Comme elle était, dans les circonstances, ma seule confidente — sauf Ulysse, bien entendu —, j'ai fini par l'accepter.

À la naissance de Télémaque, elle s'est vite rendue indispensable. Je suis tenue par l'honneur d'en faire l'aveu. Quand la douleur m'a privée de la faculté de la parole, elle a dit pour moi les prières à Artémis, puis elle m'a épongé le front, elle a recueilli le bébé, l'a lavé et emmailloté chaudement. Car s'il y avait une chose au monde qu'elle connaissait — ainsi qu'elle me le répétait inlassablement —, c'était les bébés. Elle avait pour s'adresser à eux une langue particulière, sans queue ni tête.

— Couki couka, roucoulait-elle à l'oreille de Télémaque en l'essuyant après son bain. Kaki couda !

56

L'idée que mon Ulysse à la poitrine comme une barrique et à la voix grave, lui si persuasif, si éloquent et si digne, se soit un jour trouvé dans les bras de cette femme, qui le régalait de ce babillage, me troublait beaucoup. Mais je ne saurais lui en vouloir des soins qu'elle prodiguait à Télémaque. Il était pour elle une source de ravissement infini. On aurait dit que c'était elle qui avait accouché de lui. Ulysse était content de moi. Évidemment.

— Hélène n'a toujours pas donné naissance à un héritier, disait-il.

J'aurais dû m'en réjouir. Et je m'en réjouissais effectivement. Se pouvait-il, cependant, qu'il n'ait eu qu'Hélène en tête tout ce temps-là ?

X

Le chœur : La naissance
de Télémaque (idylle)

Neuf mois durant il vogua sur l'océan vineux du sang
    de sa mère.
De la caverne de la Nuit redoutable, du sommeil,
Des rêves troublants, il surgit
À bord de son frêle et sombre esquif, l'esquif de lui-même,
Sur le dangereux océan de sa vaste mère il navigua
Depuis la lointaine caverne où les fils de la vie sont tissés,
Mesurés, puis trop tôt coupés
Par les trois sœurs fatales, tout à leur œuvre horrible,
Et la vie des femmes se mêle à la trame.

Et nous, les douze qui allions par la suite mourir
    de sa main,
À l'injonction de son père impitoyable,
Avons nous aussi vogué à bord du frêle et sombre esquif
    de nous-mêmes
Sur les eaux turbulentes de nos mères grosses aux pieds
    douloureux
Qui, assemblée bigarrée et multicolore, étaient non pas
    reines de sang royal,

Mais femmes achetées, troquées, capturées, volées à des serfs
et à des étrangers.

Au terme du voyage de neuf mois nous accostâmes enfin,
Échouées en même temps que lui, frappées par l'air hostile,
Bébés quand il était bébé, hurlant quand il hurlait,
Impuissantes comme lui, mais aussi dix fois plus,

Car sa naissance à lui était attendue et célébrée.
Sa mère a mis au monde de la graine de prince, tandis que
les nôtres
N'ont fait que frayer, agneler, cochonner, mettre bas,
Pouliner, vêler, chatonner, couver, lapiner,
Nous étions tels de jeunes animaux dont on dispose
à sa guise,
Vendues, noyées dans le puits, échangées, exploitées,
jetées à peine fanées.
Il avait un père ; nous étions simplement apparues
Tels le crocus, la rose, le moineau conçu dans la boue.

Nos vies étaient entremêlées à la sienne, nous étions enfants
nous aussi.
Quand il était petit,
Nous étions ses animaux de compagnie, ses jouets,
ses fausses sœurs, ses petites compagnes.
Nous avons grandi comme lui, ri aussi, couru comme lui,
Plus crottées, plus affamées, plus bronzées, le plus souvent
privées de viande.
Il nous considérait comme siennes, soumises à ses quatre
volontés,
Nous devions veiller sur lui, le nourrir, le laver, l'amuser
Le bercer pour l'endormir à bord du périlleux bateau
de nous-mêmes.

En jouant avec lui dans le sable, sur la plage, près du port
De notre île parsemée de rochers et de chèvres,
         nous ne savions pas
Qu'il était destiné à être notre juvénile assassin au sang froid.
Dans le cas contraire, l'aurions-nous noyé alors,
         avant qu'il nous tue ?
Les petits enfants sont impitoyables et égoïstes ; chacun
         veut vivre.

À douze contre un, c'est lui qui était condamné.
L'aurions-nous fait ? Une minute aurait suffi, quand tous
         avaient le dos tourné.
Il aurait suffi d'enfoncer sous l'eau la tête de cet enfant
         encore innocent
De nos mains de nourrices enfants encore innocentes
Et de désigner les vagues comme coupables. L'aurions-nous
         pu ?
Posez la question aux trois sœurs, qui filent leurs labyrinthes
         rouge sang,
Entremêlant la vie des hommes et des femmes.
Elles seules savent ce qui aurait pu être.
Elles seules connaissent notre cœur.
De nous, n'espérez point de réponse.

XI

Hélène gâche ma vie

Avec le temps, j'ai fini par m'habituer tant bien que mal à mon nouveau foyer, même si j'y exerçais une autorité toute relative : en effet, Euryclée et ma belle-mère se chargeaient de toutes les questions domestiques et prenaient toutes les décisions s'y rapportant. Ulysse, naturellement, régnait sur le royaume, et son père, Laërte, intervenait de loin en loin pour contester les décisions de son fils ou au contraire les cautionner. Autrement dit, la famille n'échappait pas aux traditionnels jeux de pouvoir. Qui avait le plus d'influence ? Tous s'entendaient sur un point : ce n'était pas moi.

Le repas du soir était particulièrement stressant. Il y avait trop de tensions, trop de bouderies et trop de grognements de la part des hommes ; quant à ma belle-mère, elle se drapait dans beaucoup trop de silences lourds de sens. Si je lui posais une question, elle ne me regardait jamais en me répondant : ses propos s'adressaient plutôt à un tabouret ou à une table. Comme il seyait à une conversation menée avec des meubles, lesdits propos sentaient la langue de bois.

Je me suis vite rendu compte qu'il valait mieux ne me mêler de rien et me contenter de veiller sur Télémaque, à condition bien sûr qu'Euryclée y consente.

— Vous êtes vous-même à peine plus qu'une enfant, disait-elle en m'arrachant le bébé des bras. Tenez, laissez-moi m'occuper du petit chérubin un moment. Vous, allez vous amuser.

Comment faire ? Il était hors de question que j'aille me promener seule le long des falaises ou sur le rivage à la manière d'une paysanne ou d'une esclave ! Partout où j'allais, deux servantes m'accompagnaient — j'avais une réputation à protéger, et la réputation de la femme d'un roi fait l'objet d'une surveillance de tous les instants —, mais elles restaient quelques pas derrière moi, comme le voulaient les bienséances. À déambuler vêtue de mes tenues somptueuses, sous l'œil des marins, au milieu des murmures des femmes de la ville, je me faisais l'effet d'un cheval de prix qu'on exhibait. Je n'avais pas d'amies de mon âge ni de mon rang, et ces excursions n'avaient rien de bien amusant. Pour cette raison, elles se sont espacées.

Parfois, je restais assise dans la cour : occupée à filer de la laine, j'entendais les rires, les chants et les gloussements des servantes qui, dans les dépendances, vaquaient à leurs occupations. Quand il pleuvait, je transportais mes travaux dans le quartier des femmes. Là, au moins, j'avais de la compagnie, un certain nombre d'esclaves utilisant les métiers en permanence. J'aimais tisser, jusqu'à un certain point. C'était une besogne lente, cadencée et réconfortante ; pendant que je m'adonnais à cette activité, personne, pas même ma belle-mère, ne pouvait m'accuser de me tourner les pouces toute la journée. Non pas qu'elle m'ait jamais dit quoi que ce soit, mais, croyez-moi, on peut accuser en silence.

Je passais beaucoup de temps dans ma chambre — celle que je partageais avec Ulysse. Ouvrant sur la mer, elle était convenable, sans égaler celle que j'occupais à Sparte. Ulysse y avait aménagé un lit unique au monde, dont l'une des colonnes était sculptée dans le tronc d'un olivier toujours enraciné dans le sol. Ainsi, disait-il, personne ne réussirait jamais à bouger ni à déplacer le lit, heureux augure pour tout enfant qui y serait conçu. Cette colonne était son grand secret : personne n'était au courant, hormis lui-même, Actoris, ma servante, déjà morte alors, et moi. Si le secret venait à s'éventer, disait Ulysse d'un air faussement sinistre, il saurait que j'avais couché avec un autre homme et — ajoutait-il en fronçant les sourcils d'une façon qu'il voulait taquine — il serait très en colère : il n'aurait alors d'autre choix que de me découper en petits morceaux avec son épée ou de me pendre à la poutre du toit.

Je faisais semblant d'avoir peur en lui jurant de ne jamais révéler l'existence de sa grosse colonne de lit.

En fait, j'étais terrifiée pour de vrai.

Malgré tout, c'est dans ce lit que nous connaissions nos meilleurs moments. Après l'amour, Ulysse aimait bien me faire la conversation. Il me racontait toutes sortes d'histoires, à propos de lui-même, il est vrai, et de ses prouesses de chasseur, de ses expéditions de pillage, de l'arc que lui seul réussissait à tendre, de la faveur dont il jouissait auprès de la déesse Athéna en raison de son esprit inventif et de sa maîtrise des déguisements et des stratagèmes, et ainsi de suite, mais il me parlait aussi d'autres choses : de la malédiction de la maison d'Atrée et de la ruse grâce à laquelle Persée avait obtenu d'Hadès le casque qui rend invisible et coupé la tête de l'effroyable Méduse. Du célèbre Thésée et de son ami Pirithoos, qui avaient enlevé Hélène quand elle n'avait encore que douze ans et l'avaient cachée dans l'intention de déterminer par tirage au sort lequel d'entre eux l'épouserait dès qu'elle serait nubile. Parce qu'elle n'était encore qu'une enfant, Thésée ne l'a pas violée comme il l'aurait peut-être fait dans d'autres circonstances. C'est du moins ce qu'on racontait. Les deux frères d'Hélène l'ont délivrée, mais pas avant d'avoir mené une guerre victorieuse contre Athènes à seule fin de la récupérer.

Cette histoire-là, je l'avais déjà entendue, de la bouche

d'Hélène elle-même. Sa version des faits était sensiblement différente. Selon elle, Thésée et Pirithoos étaient tous deux si intimidés par sa beauté divine qu'ils défaillaient en posant les yeux sur elle et qu'ils avaient peine à s'approcher d'elle pour lui saisir les genoux et la supplier de leur pardonner leur audace. La partie du récit qui lui plaisait le plus relatait le nombre d'hommes morts pendant la guerre athénienne : il s'agissait à ses yeux d'un hommage qui lui était destiné. La vérité, c'est qu'à force d'éloges et de cadeaux, on avait fini par lui tourner la tête. Elle se croyait tout permis, à l'égal des dieux dont — croyait-elle fermement — elle descendait.

Je me suis souvent demandé si, à supposer qu'Hélène n'ait pas été à ce point imbue d'elle-même, les souffrances et les chagrins que son égoïsme et sa luxure débridée ont fait pleuvoir sur nos têtes nous auraient été épargnés. Pourquoi n'a-t-elle pas pu vivre une vie normale ? Mais non — les vies normales sont ennuyeuses, et Hélène avait de l'ambition. Elle tenait à se faire un nom. Il lui tardait de se démarquer du troupeau.

C'est quand Télémaque avait un an que la catastrophe nous est tombée dessus. À cause d'Hélène, comme le monde entier le sait désormais.

Les premières nouvelles nous sont venues du capitaine d'un navire spartiate qui faisait escale dans notre port. Le bateau parcourait les îles environnantes pour acheter et vendre des esclaves. Selon le traitement réservé aux personnages de marque, nous avons invité le capitaine à manger avec nous et à passer la nuit au palais. De tels visiteurs étaient pour nous une précieuse source de nouvelles — qui était mort, qui était né, qui s'était marié, qui avait tué qui en duel, qui avait sacrifié son fils à tel ou tel dieu —, mais le capitaine était porteur d'une nouvelle pour le moins extraordinaire.

Hélène s'était enfuie avec un prince de Troie. L'homme en question — il s'appelait Pâris — était le fils puîné du roi Priam et, disait-on, fort beau garçon. Le coup de foudre, quoi. Pendant neuf jours de festivités — organisées par Ménélas, comme l'exigeait le haut rang du prince —, Pâris et Hélène s'étaient fait les yeux doux dans le dos de Ménélas, qui n'avait rien remarqué. Je n'ai guère été surprise : l'homme était bête comme un âne et avait des manières de rustre. Sans doute n'avait-il pas assez flatté l'amour-propre d'Hélène, prête à suivre le premier beau parleur venu. Puis, Ménélas était parti à des funérailles, et les deux tourtereaux, saisissant l'occasion, étaient montés à bord du bateau de Pâris, emportant avec eux tout l'or et tout l'argent qu'ils avaient pu réunir, et s'étaient enfuis.

Ménélas ne décolérait pas, son frère Agamemnon non plus, en raison du coup porté à l'honneur familial. Les émissaires qu'ils avaient envoyés à Troie pour exiger la restitution d'Hélène et du butin étaient rentrés bredouilles. Pâris et l'incorrigible Hélène, à l'abri des hautes murailles de Troie, s'étaient payé leur tête.

— Une sacrée affaire, a déclaré notre invité, de toute évidence ravi.

Comme nous tous, il prenait plaisir à voir les riches et les puissants se casser la gueule.

— Partout, on ne parle que de ça, nous a-t-il confié.

Pendant ce récit, Ulysse a blêmi, sans toutefois rompre le silence. Le soir même, cependant, il m'a révélé la cause de son tourment.

— Nous avons tous prêté serment. Sur la dépouille d'un cheval sacré, en plus. Pas moyen de nous défiler. On nous demandera maintenant de nous porter à la défense de Ménélas, de fondre sur Troie et de récupérer Hélène par la force.

Ce ne serait pas une sinécure, a-t-il ajouté. Troie était une grande puissance, beaucoup plus difficile à prendre qu'Athènes, que les frères d'Hélène avaient dévastée pour les mêmes motifs.

J'ai réprimé une envie de dire qu'on aurait dû enfermer Hélène dans une malle scellée au fin fond d'une cave obscure. Cette femme était un poison. À la place, j'ai demandé :

— Tu vas devoir y aller ?

À l'idée de rester à Ithaque sans Ulysse, j'étais anéantie. Quelle joie trouverais-je, seule dans ce palais ? Par « seule », vous aurez compris que je veux dire sans amis ni alliés. Finis les plaisirs nocturnes qui faisaient contrepoids aux manières autoritaires d'Euryclée et aux silences glacials de ma belle-mère.

— J'ai prêté serment, a répondu Ulysse. En fait, c'était mon idée. Je peux difficilement me soustraire à mes responsabilités.

Il a néanmoins tenté de le faire. À l'arrivée de Ménélas et d'Agamemnon — accompagnés d'un troisième homme, Palamède, qui, au contraire des deux autres, n'avait rien d'un imbécile —, Ulysse était fin prêt. Il a fait courir le bruit qu'il était devenu fou et, en guise de preuve, s'est affublé d'un ridicule couvre-chef de paysan. Retournant la terre à l'aide d'un bœuf et d'un âne, il semait du sel dans les sillons. Me croyant maligne, j'ai proposé aux trois visiteurs de m'accompagner au champ pour voir de leurs propres yeux le pitoyable spectacle.

— Vous voyez, ai-je dit, en larmes. Il ne me reconnaît plus. Même notre fils lui est étranger.

Pour faire bonne mesure, j'avais pris le bébé avec moi.

C'est Palamède qui a déjoué la ruse d'Ulysse — s'emparant de Télémaque, il l'a posé devant l'attelage. Ulysse devait le contourner ou lui passer sur le corps.

Il est donc parti à la guerre.

Pour le flatter, les trois autres lui ont fait part des prédictions d'un oracle selon lequel Troie ne tomberait pas sans lui. La nouvelle l'a quelque peu réconcilié avec l'idée du départ. Qui d'entre nous ne prend pas plaisir à se croire indispensable ?

XII

L'attente

Que vous dire des dix années qui ont suivi ? Ulysse a fait voile vers Troie. Je suis restée à Ithaque. Le soleil s'est levé, a traversé le ciel, s'est couché. Il ne m'est pas arrivé souvent d'y voir le char ardent d'Hélios. La lune a fait de même, de phase en phase. Il ne m'est pas arrivé souvent d'y voir le navire argenté d'Artémis. Le printemps, l'été, l'automne et l'hiver se sont succédé selon un ordre immuable. Il a venté souvent. Télémaque a grandi, gavé de viande, gâté par tous.

Nous recevions des nouvelles — parfois bonnes, parfois mauvaises — de la guerre de Troie. Les poètes chantaient les exploits des grands héros — Achille, Agamemnon, Ajax, Ménélas, Hector, Énée et tutti quanti. Je n'en avais cure : moi, j'attendais des nouvelles d'Ulysse. Quand rentrerait-il me délivrer de mon ennui ? Il apparaissait lui aussi dans des chansons, et je chérissais ces moments. Le voilà qui prononçait un discours passionné, le voilà qui réconciliait des factions rivales, le voilà qui inventait une stupéfiante supercherie, le voilà qui prodiguait des conseils empreints de sagesse, le voilà qui, sous les traits d'un esclave fugitif, se faufilait dans Troie et s'entretenait avec Hélène qui — à en croire le chant — le baignait et l'oignait de ses propres mains.

Ce bout-là ne me plaisait pas trop.

Le voilà enfin mettant au point un ultime stratagème : un cheval de bois rempli de soldats. Et puis — la nouvelle avait circulé de feu en feu —, Troie était tombée. On faisait état de massacres et de pillages. Les rues s'étaient transformées en coulées de sang et le ciel au-dessus du palais s'était embrasé. On avait précipité des garçons innocents du haut d'une falaise et réparti les Troyennes — les filles du roi Priam y comprises — entre les vainqueurs. Enfin, la nouvelle tant attendue était parvenue jusqu'à nous : les navires grecs rentraient.

Puis, plus rien.

Jour après jour, je grimpais sur le toit du palais pour surveiller le port. Jour après jour, mon impatience était déçue. Il y avait parfois des bateaux, mais jamais celui que j'attendais.

Des rumeurs parvenaient jusqu'à nous, colportées par les marins des autres navires. À leur première escale, Ulysse et ses hommes s'étaient enivrés, puis les marins s'étaient mutinés, disaient les uns ; non, rétorquaient les autres, ils avaient ingurgité une plante magique qui leur avait fait perdre la mémoire et Ulysse les avait sauvés en les faisant ligoter et monter à bord du bateau. Ulysse avait livré bataille à un Cyclope géant, affirmaient les uns ; non, ripostaient les autres, il s'agissait plutôt d'un aubergiste borgne, et le différend portait sur une note impayée. Quelques hommes avaient été dévorés par des cannibales, soutenaient les uns ; non, c'était une banale échauffourée, répondaient les autres, accompagnée de morsures aux oreilles, de saignements de nez, de coups de poignard et d'éviscérations. Dans une île enchantée, laissaient entendre les uns, Ulysse était l'invité d'une déesse qui avait métamorphosé ses hommes en pourceaux — ce qui, à mon avis, n'avait rien d'un exploit — avant de les transformer à nouveau en hommes parce qu'elle était amoureuse de lui et le gavait de fins mets inédits qu'elle préparait de ses propres mains immortelles, et toutes les nuits ils faisaient passionnément l'amour; non, déclaraient les autres, il s'agissait d'un bordel de luxe et Ulysse se laissait entretenir par la tenancière.

Inutile de dire que les ménestrels s'étaient emparés de ces thèmes et les avaient embellis considérablement. En ma présence, ils n'interprétaient jamais que les versions les plus nobles — celles où Ulysse faisait preuve de ruse, de bravoure et de débrouillardise, combattait des monstres surnaturels et était le bien-aimé des déesses. S'il n'était pas encore rentré, c'était uniquement parce qu'un dieu — Poséidon, selon certains — contrecarrait ses plans, le Cyclope estropié par Ulysse étant son fils. Ou encore quelques dieux s'étaient ligués contre lui. À moins que ce ne fût les Parques. Ou autre chose. Il fallait — laissaient entendre les ménestrels, soucieux de me ménager — que quelque puissance divine empêchât mon mari de rentrer au bercail séance tenante pour se jeter dans les bras adorants — et adorables — de son aimée.

Plus ils en remettaient, et plus ils attendaient de récompenses de moi. Je ne les décevais jamais. Quand on a peu de choses à se mettre sous la dent, même les flatteries les plus viles procurent quelque réconfort.

Ma belle-mère est morte après s'être ratatinée comme de la boue qui sèche, affaiblie par l'attente, convaincue qu'Ulysse ne rentrerait jamais. Dans son esprit, tout était ma faute, et non celle d'Hélène : si seulement je n'avais pas conduit Télémaque au champ de labour! La vieille Euryclée a pris encore plus de rides. Même chose pour Laërte, mon beau-père. Ayant perdu tout intérêt pour la vie de palais, il a déménagé ses pénates dans une de ses fermes, où, vêtu de vieux vêtements crasseux, il déambulait sans but en bredouillant des propos incompréhensibles à propos de poiriers. Il était en train, me disais-je, de perdre la boule.

Désormais, je dirigeais seule les vastes domaines d'Ulysse.

Ma vie antérieure à Sparte ne m'avait nullement préparée à un tel office. J'étais princesse, après tout — et le travail n'était pas mon fort. Quoique reine, ma mère n'avait guère prêché par l'exemple. Les repas qui faisaient l'ordinaire du grand palais, constitués pour l'essentiel de gros morceaux de viande, ne lui revenaient pas du tout ; elle se contentait d'un ou deux petits poissons garnis d'algues marines. Elle les gobait crus, tête première, activité que j'observais avec une fascination mêlée d'effroi. Ai-je oublié de vous dire qu'elle avait de petites dents pointues ?

Elle n'aimait ni donner des ordres aux esclaves ni les punir, même s'il lui arrivait d'en tuer un sans crier gare sous prétexte qu'il l'avait contrariée — elle n'avait jamais compris qu'ils avaient une valeur marchande. Le tissage et le filage ne lui disaient rien qui vaille.

— Trop de nœuds, disait-elle. Un travail d'araignée. Laissons Arachné s'en charger.

Quant à la corvée qui consistait à surveiller les denrées alimentaires, les celliers et ce qu'elle appelait les « joujoux dorés des mortels » que nous conservions dans les vastes entrepôts du palais, elle lui arrachait un simple rire.

— Les Naïades savent compter seulement jusqu'à trois. Pas question de dresser une liste de tous les poissons qui se trouvent dans la mer. Un poisson, deux poissons, trois poissons, un autre poisson, encore un autre ! Voilà toute notre comptabilité.

Elle éclatait de son rire ondoyant.

— Nous, immortels, ne sommes pas des avares — nous ne thésaurisons pas. Que ces questions sont vaines !

Puis elle allait nager dans la fontaine du palais ou encore elle disparaissait pendant des jours pour aller échanger des plaisanteries avec les dauphins ou taquiner les myes.

Au palais d'Ithaque, j'étais donc partie de zéro. Je me suis d'abord heurtée à la résistance d'Euryclée, qui tenait à tout régenter, mais elle s'est bientôt rendu compte qu'il y avait trop à faire, même pour une mouche du coche comme elle. Au fil des ans, j'ai dressé des inventaires — là où il y a des esclaves, il y a forcément des voleurs, du moment qu'on relâche sa vigilance —, conçu des menus et préparé des garde-robes. Les hardes des esclaves avaient beau être grossières, elles tombaient en lambeaux au bout d'un certain temps et devaient être remplacées. C'était à moi qu'il revenait de dire aux tisseuses et aux fileuses quels vêtements confectionner. Les meuniers, qui venaient au bas de l'échelle des esclaves, étaient enfermés dans une dépendance — mijotant toujours quelque mauvais coup, ils se battaient parfois entre eux, et je devais me tenir au courant de leurs animosités et de leurs vendettas.

En principe, les esclaves mâles ne pouvaient pas coucher avec les esclaves femelles sans permission. C'était un terrain glissant. Tout comme leurs supérieurs, ils tombaient parfois amoureux et étaient en proie à la jalousie, ce qui entraînait des complications sans fin. En cas de débordements, je devais bien entendu les vendre. Lorsque, de ces accouplements, naissait une mignonne enfant, il m'arrivait fréquemment de la garder et de l'élever moi-même pour en faire une servante raffinée et agréable. Peut-être faisais-je trop de cas de ces enfants. C'est du moins ce que répétait Euryclée.

Mélantho aux belles joues était l'une d'elles.

Par l'entremise de mon intendant, j'échangeais des marchandises, et j'ai mis peu de temps à acquérir une réputation d'adroite négociante. Par l'entremise de mon contremaître, je m'occupais des fermes et des troupeaux. Je me suis fait un devoir de m'initier à l'agnelage et au vêlage, aux mesures à prendre pour empêcher les truies de manger leurs petits. Avec le temps, j'ai même fini par prendre plaisir aux conversations portant sur des sujets aussi frustes. Que mon porcher vînt prendre conseil auprès de sa maîtresse était pour moi source de fierté.

Ma politique était la suivante : faire fructifier les avoirs d'Ulysse pour que, à son retour, il soit plus riche encore qu'à son départ — plus de moutons, plus de vaches, plus de cochons, plus de champs cultivés, plus d'esclaves. J'avais en tête une image très nette : Ulysse rentrait et moi je lui faisais voir — sans me départir de ma modestie féminine — que je m'étais acquittée avec brio d'une activité considérée comme l'apanage des hommes. Pour lui, bien entendu. Toujours pour lui. Que son visage luirait de plaisir ! Qu'il serait content de moi !

— Tu vaux mille fois Hélène, trancherait-il.

C'est bien ce qu'il dirait, non ? Puis il me serrerait tendrement dans ses bras.

Malgré mon lot d'activités et de responsabilités, je me sentais plus seule que jamais. Sur quels sages conseillers pouvais-je m'appuyer ? Sur qui pouvais-je compter, sinon moi-même ? Souvent, la nuit, je m'endormais en pleurant ou en priant les dieux soit de me rendre mon mari adoré, soit de me faire l'aumône d'une mort rapide. Euryclée me faisait couler des bains apaisants et, le soir, m'apportait des boissons réconfortantes, même si ces délicatesses avaient leur prix. En effet, elle avait l'irritante manie de proférer de vieux dictons conçus pour m'aider à faire face à l'adversité et me guider sur la voie du dévouement et du travail acharné, par exemple :

Celui qui, sous la coupe du soleil, pleure
Jamais ne recueillera les fruits du bonheur.

Ou :

Quiconque geint et ne travaille pas,
De veau gras jamais ne mangera.

Ou :

La maîtresse mollit, l'esclave s'enhardit,
Ne fait pas ce qu'on lui dit,
Vole, court le guilledou, se déprave :
Qui épargne le bâton gâche l'esclave !

Et d'autres encore de la même eau. Si elle avait été plus jeune, je l'aurais giflée.

Il faut croire pourtant que les exhortations d'Euryclée n'étaient pas sans effets, car, à la lumière du jour, je réussissais à préserver les apparences de la gaieté et de l'espérance, sinon pour moi-même, au moins pour Télémaque. Je lui faisais le récit des exploits d'Ulysse — quel guerrier hors pair il était, si beau, si rusé. Dès son retour, tout serait merveilleux.

Je suscitais de plus en plus la curiosité, comme ne pouvait manquer de le faire l'épouse — ou la veuve ? — d'un homme si célèbre. Les navires étrangers faisaient plus souvent escale chez nous, porteurs de nouvelles rumeurs. À l'occasion, quelqu'un tâtait le terrain : si la mort d'Ulysse était avérée, aux dieux ne plaise, serais-je disposée à écouter d'autres propositions ? Mes trésors et moi, s'entend. Je faisais fi de ces ouvertures, car des nouvelles de mon mari — peu fiables, certes, mais tout de même — continuaient de nous parvenir.

Ulysse, disaient les uns, était allé consulter les esprits au Royaume des morts. Foutaise, répondaient les autres. Il n'avait fait que passer la nuit dans une vieille caverne toute sombre, infestée de chauves-souris. Il avait obligé son équipage à se mettre de la cire dans les oreilles pour échapper aux séductions des Sirènes — moitié oiseaux, moitié femmes — qui attiraient les hommes dans leur île pour les y dévorer, même si lui-même s'était ligoté au mât du navire pour entendre leur chant irrésistible sans être tenté de se jeter à l'eau. Balivernes, s'écriaient les autres. Il s'agissait d'un lupanar sicilien de luxe, dont les courtisanes étaient connues pour leur talents musicaux et leurs chics habits couverts de plumes.

Difficile, dans ces conditions, de s'y retrouver. Parfois, je me disais que ces gens inventaient des histoires de toutes pièces à seule fin de m'effrayer, de voir mes yeux se gonfler de larmes. Tourmenter les misérables pimente l'existence.

Mieux vaut des rumeurs alarmantes que pas de rumeurs du tout, me disais-je. Aussi les écoutais-je toutes avec avidité. Après quelques années, cependant, même les rumeurs se sont taries : Ulysse semblait avoir disparu pour de bon.

XIII

Le chœur :
Le rusé capitaine (chanson de marin)

Interprétée par les douze servantes en costume de marin

Ah ! Ulysse, rusé capitaine, quitte le port de Troie,
Son bateau rempli de trésors et son cœur de joie,
Car de la déesse Athéna il est le préféré, ma foi,
Lui et ses mensonges, ses astuces et ses larcins.

Nous faisons escale chez les mangeurs de lotus d'abord :
Là, les marins oublient la guerre et tous ses morts.
Mais bientôt on nous fait remonter à bord,
Tout languissants, las ! et éperdus de chagrin.

Le terrible Cyclope ensuite nous avons visité.
Il veut nous manger, alors dans son œil un pieu nous avons
    planté.
Notre héros a dit : « Je suis Personne », puis s'est vanté :
« Je suis Ulysse, prince du tour de main ! »

Poséidon, son ennemi, a jeté un sort sur sa tête,
Qui partout suit son navire, de la cale jusqu'au faîte,

Et souffle des vents qui jamais ne s'arrêtent
Et emportent Ulysse, le plus accompli des marins !

Buvons à la santé de notre capitaine, libre et galant,
Qu'il soit coincé sur un récif, endormi sous un arbre géant
Ou blotti dans les bras de quelque nymphe de l'océan,
C'est là que nous voudrions être en attendant demain !

Sur les Lestrygons ensuite nous tombons, vile engeance,
De nos hommes, des pieds à la cervelle, ils font bombance,
Qu'il a de regret de s'être arrêté dans l'espoir d'une pitance,
Ulysse, marin, héros, fin militaire !

Dans l'île de Circé nous sommes changés en pourceaux.
Il faut qu'Ulysse de la déesse goûte la peau,
Puis qu'il mange ses gâteaux et boive le vin de ses tonneaux,
D'elle pendant un an il est le joyeux pensionnaire !

Buvons à la santé de notre capitaine, où qu'il aille,
Ballotté çà et là sur les eaux en bataille.
Il prend tout son temps pour rentrer au bercail,
Ulysse, fin renard et roué émissaire !

Dans l'île des Morts ensuite le destin le conduit,
Là une tranchée de sang il remplit pour apaiser les esprits
Avant que de Tirésias il n'entende la prophétie,
Ulysse, le plus rusé des chefs de guerre !

Les Sirènes au doux chant s'emploient à le séduire
Vers un tombeau délicieux elles l'attirent —
Ligoté au mât, il divague, il délire.
Ulysse seul de leur énigme sait percer le mystère.

À la tumultueuse Charybde il échappe, souverain ;
Sur lui Scylla à la tête de serpent s'acharne en vain.
Puis il court sur des éboulis qui vous auraient haché fin.
De leur fracas franchement il n'a que faire.

Désobéissants, nous, les hommes, commettons un impair
En mangeant les vaches du Soleil au goût vraiment
    hors pair.
Une tempête tous nous emporte, seul le capitaine touche
    terre
Sur l'île de la déesse Calypso.

Après sept longues années de baisers et de caresses
Sur un radeau il échappe aux griffes de la déesse,
Erre jusqu'au jour où de Nausicaa les servantes, pauvresses,
Le trouvent nu sur la plage — dégoulinant d'eau !

Puis de ses exploits il fait le récit palpitant,
Désastres et souffrances et par dix et par cent,
Nul ne sait ce que les Parques ont dans le sang,
Pas même Ulysse, maître céans de l'artifice !

Buvons donc à la santé de notre capitaine, quoi qu'il fasse,
Qu'il écume la terre ou la mer qui l'enlace,
Car il n'est pas dans l'Hadès, contrairement à nous, hélas —
Et sur ces mots — au revoir du fond de l'abysse.

XIV

Les prétendants s'empiffrent

L'autre jour — pour peu qu'on puisse appeler ça un jour —, j'errais dans les champs en grignotant des asphodèles quand je suis tombée sur Antinoos. Il a l'habitude d'aller et venir paré de sa meilleure cape et de sa plus belle tunique, broches en or et tout le tralala, l'air belliqueux et hautain, toujours à repousser les autres esprits. Dès qu'il m'aperçoit, il réintègre son apparence d'antan, le devant du corps ruisselant de sang, le cou transpercé d'une flèche.

Il a été le premier des prétendants tués par Ulysse. La flèche qu'il arbore est sa façon à lui de me faire des reproches — c'est du moins son intention —, mais, à la vérité, son cirque me laisse indifférente. Désagréable de son vivant, il le demeure dans la mort.

— Salut, Antinoos, ai-je dit. Je donnerais cher pour que tu enlèves cette flèche.

— C'est la flèche de mon amour, divine Pénélope, ô toi, la plus belle et la plus intelligente des femmes, a-t-il répondu. La flèche a beau être venue de l'arc légendaire d'Ulysse, c'est le cruel Cupidon lui-même qui, en réalité, a fait office d'archer. Je la porte en souvenir de la passion brûlante que j'éprouvais pour toi et que j'ai emportée dans la tombe.

Il déballe son baratin à volonté, fruit sans doute d'années d'entraînement.

— Allons donc, Antinoos, ai-je dit. Nous sommes morts à présent. Ici-bas, nul besoin d'étaler ta fatuité — tu n'as rien à y gagner. L'hypocrisie qui a fait ta renommée ne t'est d'aucune utilité. Sois gentil pour une fois et retire cette flèche. Elle ne t'avantage pas particulièrement.

Il m'a dévisagée d'un air lugubre, les yeux pareils à ceux d'un épagneul qu'on aurait fouetté.

— Impitoyable de son vivant, impitoyable dans la mort, a-t-il soupiré.

La flèche et le sang ont malgré tout disparu, et sa peau vert-blanc a retrouvé sa couleur normale.

— Merci, ai-je dit. C'est mieux. Maintenant, nous pouvons être amis. Alors, dis-moi une chose, en ami : pourquoi, au péril de votre vie, les autres prétendants et toi vous êtes-vous conduits de façon aussi cavalière vis-à-vis de moi et donc d'Ulysse, non seulement une fois mais pendant des années ? Ne me dis pas qu'on ne vous avait pas prévenus. Les prophètes ont annoncé votre perte et Zeus lui-même a envoyé des présages sous forme d'oiseaux, sans parler de coups de tonnerre retentissants.

Antinoos a laissé échapper un soupir :

— Les dieux avaient le dessein de nous détruire.

— C'est le prétexte qu'invoquent invariablement ceux qui agissent mal, ai-je répondu. Dis-moi la vérité. Ce n'était tout de même pas pour ma divine beauté. Vers la fin, j'étais une femme de trente-cinq ans, usée par les larmes et les soucis. Tu sais aussi bien que moi que je faisais du ventre. Quand Ulysse est parti pour Troie, vous, les prétendants, n'étiez pas venus au monde, ou encore vous étiez des bébés, comme mon fils, Télémaque, ou des enfants tout au plus. J'avais donc, à peu de choses près, l'âge d'être votre mère. Vous aviez beau chanter sur tous les tons que ma beauté vous faisait ployer les genoux et que vous

vous languissiez de partager ma couche et de me faire des enfants, vous saviez fort bien que j'avais presque passé l'âge de donner la vie.

— Tu aurais peut-être réussi à pondre encore un ou deux petits morveux, a-t-il lâché méchamment.

Il avait peine à réprimer un sourire de mépris.

— Voilà qui est mieux, ai-je dit. Je préfère les réponses honnêtes. Quelle était donc votre véritable motivation?

— Nous convoitions le trésor, évidemment, a-t-il répondu. Sans parler du royaume.

Cette fois, il a eu l'impudence de rire à gorge déployée.

— Quel jeune homme refuserait d'épouser une veuve riche et célèbre? Les veuves ont la réputation d'être consumées par la luxure, surtout lorsque leur mari est absent ou mort depuis longtemps, comme le tien. Tu n'avais rien d'une Hélène, mais nous nous en serions accommodés. La nuit, tous les chats sont gris. Tu avais vingt ans de plus que nous? Tant mieux. Avec un peu de chance, tu serais morte la première, avec ou sans aide, et nous, entourés de richesses, nous n'aurions eu qu'à choisir parmi les jeunes et jolies princesses nubiles. Tu n'as tout de même pas cru que nous nous pâmions d'amour pour toi, n'est-ce pas? Tu n'avais rien d'une beauté, mais tu étais futée.

J'avais dit préférer les réponses honnêtes, mais, bien entendu, personne ne les préfère pour de vrai, surtout lorsqu'elles sont si peu flatteuses.

— Merci de ta franchise, ai-je conclu froidement. Quel soulagement pour toi de dire le fond de ton cœur, pour une fois. Tu peux remettre la flèche. À vrai dire, j'éprouve un élan de joie irrépressible chaque fois que je la vois plantée dans ton cou de menteur et de glouton.

Les prétendants ne sont pas tout de suite entrés en scène. Pendant les neuf ou dix premières années d'absence d'Ulysse, nous savions où il était — à Troie, en l'occurrence — et nous savions qu'il était vivant. Non, ils ont attendu que l'espoir ait vacillé et se soit presque éteint avant d'assiéger le palais. Il en est venu d'abord cinq, puis dix, puis cinquante — plus ils étaient nombreux, plus la force d'attraction était grande, chacun craignant de ne pas avoir sa part du banquet perpétuel, son billet à la loterie matrimoniale. On aurait dit des vautours ayant aperçu une vache morte : l'un d'eux plonge, puis un autre, jusqu'à ce que tous les vautours à des kilomètres à la ronde aient réduit la charogne en charpie.

Tous les jours, ils venaient simplement frapper aux portes du palais, où ils s'invitaient, m'imposant de les recevoir. Puis, profitant de ma faiblesse et de la pénurie de main-d'œuvre, ils se servaient dans mes troupeaux, abattaient eux-mêmes les bêtes et les faisaient rôtir avec l'aide de leurs serviteurs, et donnaient des ordres aux servantes, dont ils pinçaient les fesses comme s'ils étaient chez eux. Ils réussissaient à engloutir des quantités de nourriture ahurissantes — à les voir se gaver, on aurait dit que leurs jambes étaient creuses. Chacun semblait désireux de surpasser les autres en goinfrerie — ils avaient pour but d'éroder ma résistance en faisant peser sur moi la menace de l'indigence. Des montagnes de viande, des collines de pain et des rivières de vin se sont donc engouffrées dans leurs gosiers, comme si la terre, s'étant entrouverte, avait tout avalé. Ils allaient continuer de la sorte, disaient-ils, jusqu'à ce que je prenne l'un d'eux pour mari. Aussi se sont-ils mis à ponctuer leurs agapes et leurs réjouissances de discours idiots louant ma beauté ravissante, l'excellence de mon caractère et ma sagesse.

Inutile de faire semblant que je ne tirais pas un certain plaisir de tout cela. Nous sommes tous pareils : nous cédons volontiers au plaisir d'entendre chanter nos louanges, même si nous-mêmes n'y croyons pas. Je me suis malgré tout efforcée d'observer ces débordements avec détachement, comme si j'étais témoin d'un spectacle ou d'une bouffonnerie. Quelles nouvelles métaphores allaient-ils encore trouver? Lequel d'entre eux réussirait avec le plus de conviction à faire comme s'il se pâmait de ravissement à ma vue? De temps à autre, flanquée de deux servantes, je faisais une apparition dans la salle où ils bâfraient, à seule fin de les regarder se surpasser. Souvent, c'est Amphinomos qui gagnait la guerre des bonnes manières, même s'il était loin d'être le plus vigoureux. Je dois avouer qu'il m'est arrivé de rêver tout éveillée à celui avec lequel je préférerais coucher, s'il fallait un jour en arriver à cette extrémité.

Après, les servantes me rendaient compte des plaisanteries que les prétendants échangeaient dans mon dos. Contraintes de leur servir à boire et à manger, elles étaient en quelque sorte aux premières loges.

Que disaient-ils donc de moi? Voici quelques exemples. *Premier prix, une semaine dans le lit de Pénélope. Deuxième prix, deux semaines dans le lit de Pénélope. Il suffit de fermer les yeux pour qu'elles soient toutes les mêmes — imaginez Hélène, ça vous trempera la lance, ha ha! Quand est-ce que cette vieille chipie de Pénélope finira par se faire une idée? Tuons le fils — autant s'en débarrasser pendant qu'il est encore jeune. De toute façon, le petit salopard commence à me porter sur les nerfs. Qu'est-ce qui empêche l'un de nous d'enlever la vieille rosse de force? Non, messieurs, ce serait tricher. Vous connaissez les termes du marché — celui qui l'emporte offrira aux autres des présents dignes de ce nom. Tope là. Nous sommes pour ainsi dire tous dans le même bateau. C'est une question de vie et de mort. Nous vivons, elle meurt, parce que le gagnant a l'obligation de la baiser à mort, ha ha!*

Je me suis parfois demandé si les servantes, emportées par l'enthousiasme ou désireuses de me taquiner, n'en rajoutaient pas un peu. Elles semblaient prendre beaucoup de plaisir à leurs comptes rendus, en particulier lorsque je fondais en larmes et priais Athéna, la déesse aux yeux gris, de me rendre

Ulysse ou d'abréger mes souffrances. Elles avaient alors tout le loisir d'éclater en sanglots à leur tour, de geindre et de gémir, puis de m'apporter des boissons réconfortantes. Ça leur soulageait les nerfs.

Quand il s'agissait de rapporter les propos malicieux, qu'ils soient véridiques ou inventés de toutes pièces, Euryclée faisait preuve d'un zèle tout particulier : sans doute cherchait-elle à durcir mon cœur contre les prétendants et leurs ardentes professions de foi, afin que je reste fidèle à Ulysse jusqu'au bout. Elle avait toujours été sa plus chaude partisane.

Comment modérer les transports de ces jeunes brutes de bonne famille ? Avec la désinvolture propre à leur âge, ils se montraient insensibles aux appels à la générosité, aux tentatives d'apaisement, aux menaces. Il ne s'en trouvait pas un seul qui songeât à faire marche arrière, de crainte que les autres ne le ridiculisent et ne le traitent de lâche. C'était en vain qu'on intercédait auprès des parents qui, après tout, avaient beaucoup à gagner si leur fils l'emportait. Télémaque était trop jeune pour leur faire face ; de toute façon, il était seul contre cent douze, cent huit ou cent vingt — ils étaient si nombreux qu'on avait du mal à les compter. Les hommes susceptibles de rester fidèles à Ulysse avaient pris la mer avec lui. Quant à ceux qui, parmi les autres, auraient été tentés de prendre mon parti, intimidés par la multitude des prétendants, ils préféraient se taire.

Je savais qu'il ne servirait à rien d'évincer mes prétendants non désirés ni de leur interdire les portes du palais. Dans ce cas, les choses auraient dégénéré. Déchaînés, soudain, ils auraient tenté d'arracher par la force ce qu'ils s'ingéniaient à obtenir par la persuasion. Mais j'étais la fille d'une Naïade, après tout ; je n'avais pas oublié les leçons de ma mère. *Sois comme l'eau*, me disais-je. *Ne leur oppose pas de résistance. S'ils cherchent à t'attraper, glisse-leur entre les doigts. Contourne-les.*

Voilà pourquoi je feignais d'accueillir favorablement leur cour, du moins en apparence. J'allais jusqu'à encourager tantôt l'un, tantôt l'autre, à leur faire porter des messages secrets. Mais, leur disais-je, avant de choisir parmi eux, je devais avoir la certitude qu'Ulysse ne reviendrait pas.

XV

Le linceul

Au fil des mois, la pression s'est accentuée. Je passais des journées entières dans ma chambre — pas celle que je partageais autrefois avec Ulysse, non, c'eût été intolérable, mais plutôt dans une chambre du quartier des femmes que je m'étais réservée. Allongée sur mon lit, je pleurais en m'interrogeant sur la conduite à tenir. Il est certain que je n'avais pas envie d'épouser un de ces jeunes malotrus. Cependant, mon fils, Télémaque, grandissait — il avait en gros le même âge que les prétendants —, et il avait commencé à me regarder d'un drôle d'air : il m'imputait la responsabilité de la dilapidation de son héritage.

Il aurait été tellement plus facile pour lui que je rentre chez mon père, le roi Icare, à Sparte. Pas de danger que je lui donne cette satisfaction, en tout cas pas de mon plein gré : je n'avais aucune envie de me faire jeter à la mer une deuxième fois. À l'origine, Télémaque s'est dit que mon retour au bercail constituerait pour lui une aubaine, mais, à la réflexion — le garçon savait compter —, il a compris qu'une bonne part de l'or et de l'argent du palais partirait avec moi, puisqu'il s'agissait de ma dot. Si je restais au palais et que j'épousais un des chiots de la noblesse, le chiot en question deviendrait non seulement le roi, mais aussi le beau-père de Télémaque, et aurait autorité sur lui. L'idée de faire les quatre volontés d'un garçon de son âge ne lui souriait guère.

En réalité, la meilleure solution, de son point de vue, aurait été que je lui fasse la grâce de mourir, d'une mort dont il ne pourrait en aucun cas être tenu pour responsable. Si, en effet, il agi comme Oreste — mais sans motif, au contraire d'Oreste — et qu'il avait assassiné sa mère, il se serait attiré les foudres des Érinyes — furies redoutables à la chevelure de serpents, à la tête de chien et au corps ailé — et elles l'auraient poursuivi de leurs aboiements, de leurs sifflements et de leurs fouets jusqu'à ce qu'il perde la raison. Comme il m'aurait tuée de sang-froid, et pour le plus vil des mobiles — l'appât du gain —, aucun temple ne l'aurait purifié, et mon sang l'aurait contaminé jusqu'à ce que, en proie à la démence, il connaisse une mort horrible.

La vie d'une mère est sacrée. Même celle d'une mère indigne — j'en veux pour preuve ma cousine, l'infâme Clytemnestre, adultère et coupable d'avoir assassiné son mari et tourmenté ses enfants. Personne ne m'accusait d'être une mère indigne. Mais je n'appréciais guère le barrage de monosyllabes boudeuses et de regards amers auquel me soumettait mon propre fils.

Au début de leur campagne, j'ai rappelé aux prétendants qu'un oracle avait annoncé le retour d'Ulysse. Avec chaque nouvelle année d'absence, pourtant, la foi dans l'oracle s'est effritée. Peut-être a-t-on mal interprété ses propos, ont déclaré les prétendants : les oracles avaient la réputation de cultiver l'ambiguïté. J'ai moi-même commencé à douter. En fin de compte, je n'ai eu d'autre choix que d'admettre — en public, tout au moins — qu'il était probablement mort. Pourtant, son fantôme ne m'était jamais apparu en rêve, comme le prescrivaient les convenances. Je n'arrivais pas à croire qu'il ait omis de me faire signe depuis les profondeurs de l'Hadès, à supposer qu'il comptât désormais parmi les sujets du royaume des ombres.

Je cherchais par toutes sortes de moyens à différer le moment de la décision, sans qu'on puisse me reprocher quoi que ce soit. Finalement, j'ai mis au point un stratagème. En racontant cette histoire, plus tard, j'avais l'habitude de dire que c'est Pallas Athéna, la déesse du tissage, qui m'en avait soufflé l'idée, ce qui, pour ce que j'en sais, est peut-être la plus stricte vérité. Quoi qu'il en soit, attribuer à une divinité telle ou telle inspiration était un bon moyen de ne pas passer pour orgueilleuse, en cas de réussite, et de faire porter le blâme à quelqu'un d'autre, en cas d'échec.

Voici donc ce que j'ai fait. Sur mon métier, j'ai commencé à tisser une toile de grandes dimensions. C'était, ai-je déclaré, un linceul pour mon beau-père, Laërte, qu'il aurait été impie de ne pas doter d'un suaire coûteux, dans l'hypothèse où il viendrait à mourir. Tant et aussi longtemps que cet ouvrage sacré demeurerait inachevé, je ne pourrais même pas songer à me choisir un nouveau mari. Dès que j'aurais terminé, je désignerais sans tarder l'heureux élu.

(Laërte n'a pas été enchanté par cette charmante attention ; mis au courant, il a évité le palais encore plus qu'auparavant. Et si un prétendant impatient se mettait en tête d'abréger ses jours pour m'obliger à l'enterrer dans son linceul — terminé ou non — afin de précipiter mes noces ?)

La proposition témoignait d'une telle piété que personne n'a osé s'y opposer. Je passais mes journées devant mon métier, à tisser avec diligence et à tenir des propos mélancoliques :

— Ce linceul m'irait mieux qu'à Laërte, moi qui ne suis qu'une ruine condamnée par les dieux à mener une existence de morte vivante.

Ce qui ne m'empêchait pas, la nuit venue, de défaire ce que j'avais accompli durant le jour : ainsi, la taille du linceul demeurait toujours la même.

Pour m'aider dans cette tâche, j'ai choisi douze de mes servantes — les plus jeunes, qui, toute leur vie durant, avaient été miennes. Je les avais achetées ou acquises quand elles étaient encore toutes petites, puis je les avais élevées comme compagnes de jeu pour Télémaque et initiées avec soin aux affaires du palais. Elles étaient d'un commerce agréable, débordantes d'énergie. Il leur arrivait de ricaner et de parler un peu fort, ainsi que les jeunes servantes en ont l'habitude, mais leurs papotages et leurs chants me remontaient le moral. Elles avaient toutes de jolies voix, dont on leur avait appris à bien se servir.

Au palais, elles étaient mes yeux et mes oreilles les plus fidèles. Pendant plus de trois ans, elles m'ont aidée à défaire une partie de mon ouvrage, derrière des portes closes, au plus sombre de la nuit, à la lueur des torches. Même si nous devions observer la plus grande prudence et parler en chuchotant, ces nuits avaient des airs de fête et il nous arrivait même de rigoler. Mélantho aux belles joues chipait pour nous des gâteries — figues en saison, mouillettes de pain trempées dans du miel, vin chaud en hiver. Nous nous racontions des histoires en vaquant à notre entreprise de destruction ; nous nous soumettions des énigmes ; nous racontions des blagues. À la lumière vacillante des torches, nos visages et nos manières de jour s'adoucissaient, se métamorphosaient. Nous étions presque comme des sœurs. Le matin, cernées à cause du manque de sommeil, nous échangions des sourires complices et, de loin en loin, une légère pression des mains. Leurs « Oui, madame » et leurs « Non, madame » penchaient dangereusement du côté du fou rire, comme si ni elles ni moi n'arrivions à prendre leur servilité au sérieux.

Hélas, l'une d'elles a trahi le secret de mon interminable tissage. Par inadvertance, j'en suis certaine : la jeunesse est par nature insouciante, et la coupable aura sans doute laissé échapper un mot ou un indice. J'ignore encore de qui il s'agit : ici-bas, parmi les ombres, les servantes se promènent en groupe. À mon approche, elles s'enfuient. Elles m'évitent comme si je leur avais causé un tort irréparable. Jamais pourtant je ne leur aurais fait de mal, du moins de ma propre initiative.

Si mon secret a été éventé, c'est, à strictement parler, par ma faute. J'avais donné pour consigne à mes douze jeunes servantes — les plus jolies, les plus attirantes — de tourner autour des prétendants et de les épier en faisant jouer tout leur arsenal de séduction. Personne n'était au courant, sauf elles et moi : j'avais choisi de ne rien dire à Euryclée. Grave erreur, en rétrospective.

Le plan a tourné au vinaigre. Certaines filles ont été violées, hélas, d'autres se sont laissé séduire ou, de guerre lasse, ont fini par céder en jugeant toute résistance inutile.

Il n'était pas inhabituel que les invités d'une grande maison ou d'un palais couchassent avec les servantes. Offrir de piquants divertissements nocturnes faisait partie des règles de l'hospitalité, et les hôtes, magnanimes, proposaient volontiers aux visiteurs de choisir parmi les filles — mais il était tout à fait contraire à l'étiquette d'user d'elles sans la permission du maître du logis. Il s'agissait ni plus ni moins d'un vol.

Cependant, il n'y avait pas de maître au palais. Les prétendants se sont donc arrogé les servantes de la même manière qu'ils s'étaient approprié les moutons, les cochons, les chèvres et les vaches. Ils n'y voyaient sans doute pas le moindre mal.

Je consolais les filles de mon mieux. Elles se sentaient coupables. Celles qui avaient été violées avaient besoin d'égards et de soins. Je m'en remettais à la vieille Euryclée, qui maudissait les prétendants, baignait les filles et, pour les chouchouter, leur massait le corps à l'aide de ma propre huile d'olive parfumée. Elle maugréait un peu à la tâche. Peut-être m'en voulait-elle de l'affection que j'avais pour les petites. Je les gâtais, disait-elle, et je risquais de leur enfler la tête.

— Tant pis, ai-je dit à mes servantes. Vous devez faire semblant d'aimer ces hommes. S'ils vous croient de leur côté, ils s'ouvriront à vous, et nous serons au fait de leurs intentions. C'est une façon de servir votre maître. À son retour, il sera content de vous.

Cette perspective les réconfortait un peu.

Je leur ai même donné l'ordre de tenir des propos grossiers et irrespectueux sur Télémaque et sur moi afin de parfaire l'illusion. Elles se sont lancées dans l'aventure avec enthousiasme : Mélantho aux belles joues était particulièrement douée pour la médisance et prenait plaisir à inventer des remarques perfides. Il est en effet délicieux de combiner l'obéissance et la désobéissance dans le même mouvement.

Non pas que l'illusion fût parfaite. Certaines d'entre elles étaient vraiment tombées amoureuses des hommes qui les avaient si mal traitées. C'était inévitable, je suppose. Elles me croyaient dans l'ignorance de ce qui se tramait, mais j'étais parfaitement au courant. Je leur ai pardonné, cependant. Elles étaient jeunes et inexpérimentées. Sans compter que peu de filles esclaves, à Ithaque, pouvaient se vanter d'être la maîtresse d'un jeune homme de la noblesse.

Amoureuses ou pas, participantes aux excursions nocturnes ou pas, elles ont continué de me rendre fidèlement compte de ce qu'elles apprenaient.

Bêtement, je me félicitais de mon astuce. Avec le recul, je m'aperçois que mes actions étaient inconsidérées et qu'elles ont entraîné des conséquences néfastes. Le temps me manquait, cependant, et j'étais désespérée. Je n'avais d'autre choix que de faire appel à toutes les ruses dont je disposais.

Informés de ma supercherie, les prétendants se sont introduits dans mes appartements, la nuit, et m'ont prise sur le fait. Très en colère, surtout parce qu'ils avaient été bernés par une femme, ils ont piqué une crise terrible. Prise en flagrant délit, j'ai dû promettre de finir le linceul au plus vite. Après, je choisirais sans faute un mari parmi eux.

Presque du jour au lendemain, le linceul est entré dans la légende : la « toile de Pénélope », disait-on. On s'est mis à utiliser l'expression pour désigner toute tâche qui demeure mystérieusement inachevée. Je n'appréciais guère le mot « toile ». Si le linceul était la toile, j'étais forcément l'araignée. Je n'ai toutefois pas cherché à attraper les hommes comme des mouches. Au contraire, j'ai simplement tenté de ne pas m'empêtrer moi-même.

XVI

Mauvais rêves

C'est ici que commence la pire période de mon supplice. J'ai tant pleuré que j'ai craint de me changer en source ou en fontaine, comme dans les légendes anciennes. J'avais beau multiplier les prières et les sacrifices, être à l'affût des présages, mon mari ne rentrait toujours pas. Comble de malheur, Télémaque était désormais en âge de me donner des ordres. Pendant vingt ans, j'avais presque à moi seule dirigé les affaires du palais, mais voilà qu'il voulait asseoir son autorité en tant que fils d'Ulysse et prendre les rênes du pouvoir. Il s'était mis à faire des scènes dans la grand-salle, à tenir tête aux prétendants avec une audace qui, j'en étais certaine, allait lui coûter la vie. Il allait forcément se lancer dans quelque folle entreprise, ainsi que les jeunes hommes en ont la manie.

Et effectivement, il s'est embarqué dans l'espoir de recueillir des nouvelles de son père, sans même se donner la peine de me consulter. Insulte suprême sur laquelle je n'ai toutefois pas eu le temps de m'appesantir, car j'ai appris par mes favorites une terrible nouvelle : mis au courant de la téméraire escapade de mon fils, les prétendants avaient envoyé un navire dans l'intention de lui tendre une embuscade à son retour et de le faire disparaître.

Il est vrai que le héraut Médon m'a mise au courant du complot, comme le dit le chant. Grâce aux servantes, toutefois, j'avais déjà eu vent de l'affaire. J'ai donc dû feindre la surprise. Sinon Médon — qui ne prenait pas parti — aurait su que je disposais de mes propres sources de renseignements.

Alors, évidemment, j'ai titubé avant de m'effondrer sur le seuil en pleurant et en gémissant, et toutes mes servantes, mes favorites comme les autres, se sont jointes au concert de mes lamentations. Je leur ai reproché de ne pas m'avoir prévenue du départ de mon fils et de ne pas l'avoir arrêté, jusqu'à ce que cette vieille bique d'Euryclée, qui n'avait rien perdu de sa manie de fourrer son nez partout, confesse qu'elle seule l'avait aidé et encouragé. S'ils ne m'avaient rien dit, a-t-elle déclaré, c'était uniquement pour m'éviter des tourments. Tout finirait bien, a-t-elle ajouté, parce que les dieux étaient justes.

Je me suis abstenue de lui dire que les preuves de ce qu'elle avançait se faisaient rares.

Quand l'existence devient insupportable et que je suis à une larme près de me transformer en étang, j'ai et j'ai toujours eu — encore heureux — la faculté de dormir. Et quand je dors, je rêve. Cette nuit-là, j'ai fait toutes sortes de rêves, lesquels ne sont pas passés à la postérité puisque je n'en ai jamais parlé à personne. Dans l'un d'eux, le Cyclope fracassait la tête d'Ulysse et lui mangeait la cervelle ; dans un autre, Ulysse se jetait à la mer du haut de son bateau et nageait en direction des Sirènes, qui chantaient avec une douceur exquise, exactement comme mes servantes, mais déjà elles tendaient leurs griffes d'oiseaux dans le dessein de le tailler en pièces ; dans un troisième, il faisait l'amour à une déesse à la beauté sublime en y prenant manifestement beaucoup de plaisir. Puis la déesse a emprunté les traits d'Hélène. Par-dessus l'épaule nue de mon mari, elle m'adressait un petit sourire malicieux. Le dernier cauchemar était si horrible qu'il m'a tirée du sommeil. J'ai alors prié pour qu'il s'agît d'une fausse prémonition qui, venue de la caverne de Morphée, était passée par la porte d'ivoire, et non d'une vraie qui aurait transité par la porte de corne.

M'étant rendormie, j'ai enfin réussi à faire un rêve réconfortant. Celui-là, je l'ai raconté, et vous en avez peut-être déjà entendu parler. Ma sœur Iphthimé — comme elle était beaucoup plus vieille que moi, je l'ai à peine connue, sans compter que, depuis son mariage, elle vivait dans une contrée lointaine — est entrée dans ma chambre et, se rapprochant de mon lit, m'a dit être l'émissaire de la déesse Athéna elle-même, parce que les dieux ne voulaient pas que je souffre. Le message était le suivant : Télémaque rentrerait sain et sauf.

Interrogée au sujet d'Ulysse — était-il mort ou vivant ? —, elle a refusé de répondre et a disparu.

Les dieux ne voulaient pas que je souffre ? À d'autres. Tous, ils se paient notre tête. J'aurais aussi bien pu être un chien errant qu'on crible de pierres ou dont on embrase la queue pour le simple plaisir. Le plat de choix des dieux, c'est moins la graisse et les os des bêtes que notre souffrance.

XVII

Le chœur :
Bateaux de rêve (ballade)

Le sommeil est notre seul répit,
L'unique moment où nous avons la paix :
Pas besoin de récurer le sol
Ni de passer le balai.

Nous ne sommes ni pourchassées
Ni culbutées dans les salons
Par le premier imbécile venu
Étourdi par un bout de jupon.

Dormant, nous nous plaisons à rêver.
Nous rêvons de prendre la mer,
De chevaucher la houle sur un bateau d'or,
Si libres, si pures et si cavalières.

En rêve, nous sommes magnifiques,
Vêtues de robes écarlates irisées.
Au lit avec les hommes que nous aimons,
Nous les couvrons de baisers.

Le jour, ils nous régalent de fêtes ;
La nuit, nous les abreuvons de chansons.
Ils montent à bord de notre vaisseau d'or
Et toute l'année ensemble nous dérivons.

Tout n'est qu'allégresse et bonté :
Il n'y a ni larmes, ni chagrin, ni
Souffrance, car nos décrets sont doux
Tout au long de notre règne béni.

Mais au matin nous nous éveillons,
Esclaves à nouveau et filles de rien,
Nous qui retroussons nos jupes
Pour le bon plaisir du dernier des coquins.

XVIII

Des nouvelles d'Hélène

Télémaque, après avoir déjoué l'embuscade qui lui était tendue, plus par chance que par calcul, est rentré sain et sauf. Je l'ai accueilli avec des larmes de joie, les servantes aussi. Je suis toutefois au regret de dire que nous avons eu une grosse dispute, mon fils unique et moi.

— Tête de linotte! ai-je crié. De quel droit oses-tu t'emparer d'un bateau et t'enfuir comme un voleur, sans permission? Tu es à peine plus qu'un enfant! Que sais-tu du commandement d'un navire? Tu aurais pu mourir mille morts. Qu'aurait dit ton père, à son retour? Évidemment, c'est moi qui aurais écopé pour ne pas avoir su te garder à l'œil!

Et ainsi de suite.

Je m'étais trompée d'approche. Télémaque est monté sur ses grands chevaux. Il a nié être encore un enfant et fait étalage de sa virilité — il était rentré, n'est-ce pas, preuve ultime de sa compétence. Puis il a défié mon autorité parentale en affirmant qu'il n'avait besoin de la permission de personne pour prendre un bateau qui faisait ni plus ni moins partie de son patrimoine, que par ailleurs je n'avais pas su défendre et que les prétendants s'employaient à dilapider. Il a ajouté qu'il avait bien fait de partir à la recherche de son père, puisque personne d'autre ne semblait disposé à lever le petit doigt pour le retrouver. Il l'aurait comblé, a-t-il conclu, en faisant preuve de fermeté et en se soustrayant à la coupe des femmes qui, comme d'habitude, réagissaient de façon trop émotive, sans la moindre trace de raison ni de jugement.

Par « les femmes », il voulait dire moi. De quel droit osait-il désigner ainsi sa propre mère ?

Comment aurais-je pu réagir autrement qu'en fondant en larmes ?

Je lui ai ensuite joué la grande scène du « Fils ingrat et sans cœur, tu n'as pas idée des peines que j'ai endurées pour toi, aucune femme n'a à subir ce genre de souffrance, aussi bien me tuer ». Il la connaissait, j'en ai bien peur, comme en témoignaient ses bras croisés et ses yeux qu'il faisait rouler dans leurs orbites en attendant que j'aie terminé.

Après, nous nous sommes calmés. Télémaque a pris un bon bain, préparé par les servantes. Elles l'ont récuré de la tête aux pieds, l'ont habillé de propre et ont concocté un exquis repas pour lui et pour les amis qu'il avait invités — ils s'appelaient Piraeos et Théoclymène. Enfant d'Ithaque, Piraeos était du voyage secret de mon fils. J'ai décidé de lui parler en privé, un peu plus tard, et d'inviter ses parents à lui tenir plus fermement la bride. Théoclymène était étranger. Il m'a semblé plutôt gentil, mais je me suis dit que j'allais me renseigner sur ses ancêtres : les garçons de l'âge de Télémaque ont si facilement de mauvaises fréquentations.

Télémaque dévorait son repas et avalait de grandes rasades de vin, tant que je me suis reproché de ne pas lui avoir enseigné de meilleures manières de table. J'avais pourtant essayé. Chaque fois que je le réprimandais, cette vieille chipie d'Euryclée s'interposait :

— Mon enfant, laissez-le donc savourer son repas. Il aura tout le temps d'apprendre les bonnes manières quand il sera grand.

Et patati et patata.

— Il faut parfois redresser la tige pour que l'arbre pousse droit.

— Justement! bêlait-elle. Mais on ne veut pas casser la ramille, pas vrai? Non, non, non, non, non. On veut qu'elle devienne grande et forte, notre petite ramille, on veut qu'elle profite bien de cette jolie pièce de viande sans que sa maman grognonne vienne lui faire un gros chagrin!

Prises de fou rire, les servantes lui remplissaient son assiette à ras bord et le noyaient sous les compliments.

J'ai bien peur qu'il était un peu trop gâté.

Une fois terminé le repas des trois jeunes gens, j'ai posé des questions sur le voyage. Télémaque avait-il appris quelque chose sur son père et l'endroit où il se trouvait, puisque tel était le but de l'expédition? Le cas échéant, allait-il daigner me faire part de ses découvertes?

De mon côté, vous le voyez, je ne m'étais pas encore tout à fait calmée. On ne sort pas impunément perdante d'une dispute avec son fils adolescent. Dès qu'ils sont plus grands que vous, il ne vous reste que votre autorité morale, arme dérisoire s'il en est.

Les propos de Télémaque m'ont totalement prise au dépourvu. Après avoir fait un saut chez Nestor, qui ne lui avait rien appris, il était allé rendre visite à Ménélas. Ménélas en personne. Ménélas le riche, Ménélas le borné, Ménélas le tonitruant, Ménélas le cocu. Ménélas, le mari d'Hélène — cousine Hélène, l'adorable Hélène, salope puante, cause profonde de tous mes malheurs.

— Tu as vu Hélène? lui ai-je demandé, la gorge un peu serrée.

— Bien sûr, a-t-il répondu. Même qu'elle nous a offert un excellent repas.

Il s'est ensuite lancé dans une fable abracadabrante au sujet du vieil homme de la mer et de Ménélas qui aurait entendu dire de la bouche même de ce vieillard un peu louche qu'Ulysse était retenu prisonnier dans l'île d'une déesse magnifique, qui le contraignait à lui faire l'amour toute la nuit, toutes les nuits.

Les histoires de déesse, il y en avait marre.

— Comment as-tu trouvé Hélène ? ai-je demandé.

— Bien, a-t-il répondu. Tout le monde a parlé de la guerre de Troie. De bien beaux récits, pleins de batailles, de combats et de viscères répandus — il a beaucoup été question de mon père. Puis, les vieux soldats ont commencé à brailler comme des veaux — Hélène avait corsé les boissons —, et nous avons beaucoup ri.

— Oui, bon. Mais de quoi avait-elle l'air ?

— Elle était aussi radieuse qu'Aphrodite d'or. Rien qu'à la voir, j'en ai eu le frisson. Je veux dire, elle est si célèbre, elle fait partie de l'histoire et tout et tout. Elle est à la hauteur de sa légende, c'est le moins qu'on puisse dire.

Il souriait, l'air penaud.

— Elle a tout de même dû prendre quelques rides, ai-je déclaré le plus posément possible.

Pas possible qu'elle soit toujours l'égale d'Aphrodite d'or ! Ce serait contre nature.

— Ça, oui, a concédé mon fils.

À ce moment, le lien supposé entre les mères et leurs fils orphelins de père s'est enfin réaffirmé. Télémaque a fixé mon visage pour en déchiffrer l'expression.

— En réalité, elle a l'air plutôt vieille, a-t-il dit. Beaucoup plus vieille que toi. Usée. Toute ratatinée, a-t-il renchéri. On dirait un vieux champignon. En plus, elle a les dents jaunies. Il y en a même qui sont tombées. Ce n'est qu'après quelques verres que nous l'avons trouvée belle.

Il mentait, je m'en rendais compte, mais j'ai été touchée de l'entendre mentir pour me faire plaisir. N'était-il pas l'arrièrepetit-fils d'Autolycos, ami d'Hermès, archi-tricheur par excellence, et le fils de l'avisé Ulysse à la voix suave, maître ès supercheries, grand fléchisseur d'hommes et trompeur de femmes ? Peut-être n'était-il pas entièrement dénué de jugeote, après tout.

— Merci de tes propos, mon fils. Je t'en suis reconnaissante. Je vais maintenant aller faire l'offrande d'un panier de blé et prier pour que ton père rentre sain et sauf.

Ce que j'ai fait.

XIX

Un cri de joie

Qui saurait affirmer que les prières sont sans effet? Qui, en revanche, peut soutenir le contraire? Je me représente les dieux en train de se tourner les pouces sur le mont Olympe en se gavant de nectar et d'ambroisie, au milieu des effluves des os et de la graisse qui crament, espiègles comme une bande de gamins de dix ans qui ont pour amusement un chat malade et beaucoup de temps à leur disposition.

— Quelle prière allons-nous exaucer aujourd'hui? demande l'un.

— Il n'y a qu'à jeter les dés! répond l'autre. L'espoir pour celui-ci, le désespoir pour celui-là. Et pendant que nous y sommes, ruinons la vie de cette femme en lui faisant l'amour sous les traits d'une écrevisse!

À mon avis, c'est l'ennui qui explique bon nombre de tours qu'ils nous jouent.

Pendant vingt ans, mes prières sont restées lettre morte. Mais pas cette fois-là. Je venais tout juste de m'acquitter du rituel désormais familier et de verser des larmes non moins familières quand j'ai vu Ulysse entrer dans la cour d'un pas traînant.

La démarche traînante faisait bien entendu partie du

déguisement. Je n'attendais rien de moins de sa part. De toute évidence, il avait eu vent de la situation au palais — les prétendants qui lui mangeaient son patrimoine, leurs intentions meurtrières vis-à-vis de Télémaque, les services sexuels des servantes qu'ils s'arrogeaient de force, leur projet de lui voler sa femme — et en était sagement venu à la conclusion qu'il valait mieux pour lui ne pas simplement marcher sur le palais, annoncer son retour et mettre tous les intrus à la porte. S'il s'y était risqué, il aurait trouvé la mort sur-le-champ.

Il avait donc emprunté l'apparence d'un vieux mendiant. Jouait en sa faveur le fait qu'aucun des prétendants ne savait de quoi il avait l'air : au moment de son départ, ils étaient encore trop jeunes, à supposer même qu'ils fussent nés. Le déguisement était assez réussi — je me suis prise à espérer que les rides et le crâne chauve soient feints —, mais, à la vue de la poitrine en forme de barrique et des jambes courtes, j'ai eu de vifs soupçons, lesquels se sont mués en certitude à l'audition du récit suivant : il avait, disait-il, brisé le cou d'un autre mendiant au tempérament belliqueux. En plein son genre : furtif au besoin, il est vrai, mais n'hésitant pas à recourir à la force dès lors qu'il était certain d'avoir le dessus.

Je n'ai rien laissé paraître, de crainte de mettre sa vie en péril. Sans compter que la femme d'un homme qui tire une grande fierté de ses aptitudes au déguisement ne doit pas faire la bêtise de le reconnaître : en effet, il est toujours imprudent de s'interposer entre un homme et l'idée qu'il se fait de sa propre intelligence.

J'ai tout de suite compris que Télémaque était au courant du subterfuge. Marchand de faussetés comme son père, il n'était toutefois pas très doué. En me présentant le supposé mendiant, il a eu toutes sortes de tics — hésitations, bégaiements, regards de côté — qui l'ont trahi.

Les présentations en question n'ont eu lieu que plus tard. Ulysse a passé les premières heures à fouiner dans le palais, en proie aux mauvais traitements des prétendants, qui l'ont abreuvé de quolibets et bombardé d'objets divers. Hélas, je n'avais pu prévenir mes servantes. Elles avaient donc continué de se montrer grossières envers Télémaque et uni leurs insultes à celles des prétendants. Mélantho aux belles joues s'était montrée particulièrement cinglante, semble-t-il. J'ai résolu que j'interviendrais au moment opportun et que j'expliquerais que les filles n'avaient fait qu'obéir à mes ordres.

Le soir venu, je me suis arrangée pour rencontrer le supposé mendiant dans la grand-salle maintenant déserte. Il a dit avoir des nouvelles d'Ulysse — débitant une fable plausible, il m'a donné l'assurance qu'Ulysse serait bientôt de retour et j'ai sangloté. Depuis des années que des voyageurs me racontaient la même chose, je n'y croyais plus, lui ai-je dit. Je lui ai fait en long et en large le récit de mes infortunes et parlé de l'impatience avec laquelle j'attendais mon mari — ces choses, mieux valait qu'il les entende dans la peau d'un vagabond : ainsi, il serait plus enclin à y prêter foi.

Puis je l'ai flatté en lui demandant conseil. « J'ai décidé de ressortir l'arc d'Ulysse, lui ai-je dit, celui dont une seule flèche avait traversé les trous de douze fers de hache — prouesse ahurissante —, de mettre les prétendants au défi de répéter l'exploit et de m'offrir en récompense au vainqueur. » Il s'agissait à coup sûr d'un moyen d'en finir, d'une façon ou d'une autre, avec la situation intolérable dans laquelle je me trouvais. Qu'en disait-il ?

Il a jugé l'idée excellente.

Dans les chants, on prétend que l'arrivée d'Ulysse et ma décision d'organiser l'épreuve de l'arc et des flèches ont coïncidé par pur hasard — ou par suite d'une intercession divine, selon la conception des choses qui avait cours à l'époque. Je savais que seul Ulysse était capable d'un tel prodige. Je connaissais l'identité du mendiant. Il n'y a pas eu de succession fortuite d'événements. J'ai tout orchestré.

M'ouvrant de plus en plus au faux mendiant déguenillé, je lui ai relaté un de mes rêves. Il avait trait à mon troupeau d'adorables oies blanches, auxquelles j'étais très attachée. J'avais rêvé qu'elles étaient en train de picorer gaiement dans la cour quand un aigle au bec crochu avait fondu sur elles et les avait toutes tuées. J'avais pleuré, pleuré.

Ulysse le mendiant s'est offert pour interpréter ce rêve : l'aigle était mon mari, les oies, les prétendants, et l'un allait bientôt se charger d'assassiner les autres. Il n'avait rien dit du bec crochu, de l'amour que j'avais pour ces oies ni de la douleur que me vaudrait leur mort.

Quoi qu'il en soit, Ulysse a mal interprété le rêve. Lui-même était bel et bien l'aigle, mais les prétendants n'avaient rien à voir avec les oies. Ces dernières étaient plutôt les douze servantes, comme je n'allais pas tarder à m'en rendre compte, constat qui m'a valu une tristesse éternelle.

Dans les chants, on insiste beaucoup sur un détail. J'ai donné aux servantes l'ordre de laver les pieds d'Ulysse le mendiant, qui s'y est refusé : il ne se laisserait laver les pieds que par quelqu'un qui ne le tournerait pas en ridicule à cause de sa vieillesse et de sa peau plissée. J'ai alors proposé les services de la vieille Euryclée, dont les pieds étaient aussi privés de qualités esthétiques que les siens. Elle s'est attelée à la tâche en maugréant, sans se douter du piège que je lui avais tendu. Bientôt, elle est tombée sur la cicatrice familière, elle qui, à maintes et maintes reprises, s'était acquittée du même office pour Ulysse. Elle a alors poussé un cri de joie et renversé la bassine. Ulysse a presque dû l'étrangler pour l'empêcher de vendre la mèche.

Dans les chants, on raconte que je n'avais rien remarqué : la déesse Athéna m'aurait distraite. Si vous croyez pareille chimère, on peut vous faire avaler n'importe quoi. En réalité, je leur avais tourné le dos pour dissimuler le rire muet provoqué par la réussite de ma petite surprise.

XX

Calomnies

Parvenue à ce stade de mon récit, je me sens l'obligation de faire le point sur les calomnies dont je fais l'objet depuis quelque deux ou trois mille ans. Toutes ces histoires sont totalement fausses. Nombreux sont ceux qui laissent entendre qu'il n'y a pas de fumée sans feu, mais il s'agit d'un argument inepte. Nous avons tous entendu des rumeurs qui se sont par la suite révélées sans le moindre fondement. C'est le cas de celles qui me concernent.

Les accusations ont trait à ma conduite sexuelle. Suivant ces allégations, j'aurais couché avec Amphinomos, le plus poli des prétendants. Dans les chants, on laisse entendre que je trouvais sa conversation agréable, plus agréable en tout cas que celle des autres, ce qui est exact ; mais de là à sauter dans son lit… Il est vrai également que j'ai encouragé certains des prétendants et que j'ai fait des promesses à quelques-uns d'entre eux, mais c'était pour des raisons stratégiques. Mes prétendus encouragements avaient notamment pour objectif de leur arracher de coûteux présents — maigre consolation en regard de tout ce qu'ils ont avalé et gaspillé —, et j'attire votre attention sur le fait qu'Ulysse lui-même a été témoin de mes agissements et les a approuvés.

Selon les versions les plus outrées, j'aurais couché avec tous les prétendants, l'un après l'autre — ils étaient plus d'une centaine —, et donné naissance au grand dieu Pan. Comment prêter foi à ce monstrueux bobard? Il y a des chants qui ne valent pas le souffle qu'on a dépensé à les répéter.

Divers exégètes ont cité ma belle-mère, Anticlée, qui n'a rien dit des prétendants lorsque Ulysse, qui séjournait dans l'île des Morts, s'est adressé à elle en esprit. Ils voient dans son silence une forme de preuve : si elle avait parlé des prétendants, disent-ils, elle aurait aussi dû évoquer mes infidélités. Peut-être avait-elle l'intention de semer un doute empoisonné dans la tête d'Ulysse, mais vous êtes déjà au courant de la façon dont elle me traitait. Elle aurait craché son fiel pour la dernière fois, en somme.

D'autres ont relevé le fait que je n'ai ni renvoyé ni puni de leur impudence les douze servantes, que je ne leur ai pas fait moudre du grain, enfermées dans une dépendance. Il fallait pour cela que je me sois adonnée moi-même à quelque putasserie. Je me suis déjà expliquée sur ce point.

Une accusation autrement plus grave vient du fait qu'Ulysse ne m'a pas divulgué son identité immédiatement après son retour. Il se méfiait de moi, dit-on, et voulait savoir si j'organisais des orgies au palais. La vraie raison, c'est qu'il craignait que mes larmes de joie ne le trahissent. De la même façon, pendant qu'il massacrait les prétendants, il m'avait fait boucler dans le quartier des femmes avec celles de mon sexe et avait demandé l'aide d'Euryclée plutôt que la mienne. C'est qu'il me connaissait bien — mon cœur tendre, ma manie de fondre en larmes et de m'effondrer sur le seuil des portes. Il ne tenait tout simplement pas à m'exposer à des dangers et à des scènes désagréables. C'est sans doute l'explication la plus plausible.

S'il avait eu vent des ragots, à l'époque où nous vivions encore, nul doute que mon mari aurait arraché quelques langues. Rien ne sert cependant de regretter les occasions ratées.

XXI

Le chœur :
Les périls de Pénélope (drame)

Présenté par les servantes
Prologue déclamé par Mélantho aux belles joues

À l'approche du dénouement, sombre et noir,
Disons-le tout net : il y a une autre histoire,
Ou quelques-unes même, au gré de la déesse Rumeur,
Qu'on trouve de bonne ou de mauvaise humeur.
Ainsi court le bruit que notre sage Pénélope
Était — s'agissant du sexe — une sacrée salope.
Certains disent qu'avec Amphinomos elle couchait
Et cachait sa luxure sous le voile d'un chagrin épais ;
D'autres, que tous les prétendants avaient eu le bonheur
De la prendre tour à tour, chacun à son heure,
Débauche d'où était issu le dieu bouc Pan,
C'est du moins ce qu'à tendre l'oreille on entend.
La vérité, chers spectateurs, est rarement si lisse —
Jetons donc un coup d'œil dans les coulisses !

Euryclée (jouée par une servante) :
Chère enfant! Te voilà prise au piège, hélas!
Le maître est de retour! Il rentre enfin, de guerre lasse.

Pénélope (jouée par une servante) :
Je l'ai reconnu venant de loin, subreptice,
À ses courtes jambes —

Euryclée :
— et à sa longue cicatrice!

Pénélope :
Et maintenant, chère nourrice, ça va barder :
Pour avoir assouvi mes désirs il va me trucider!
Lui-même a fait la noce du matin au soir.
Pensait-il que je n'allais faire que mon devoir?
Lui troussait filles et déesses, blondes ou brunes,
Fallait-il donc que je me ratatine comme une prune?

Euryclée :
De votre célèbre métier vous prétendiez faire usage
Quand c'est au lit que vous faisiez des ravages!
Et maintenant il y a matière à vous… décapiter!

Pénélope :
Amphinomos — vite! Par l'escalier dérobé!
Moi, je reste ici, tout miel, l'air éploré.
Je remets ma robe, je peigne mes cheveux bouffants.
Lesquelles de mes servantes de l'affaire sont au courant?

Euryclée :
Seules les douze, madame, qui vous ont assisté
Savent qu'aux prétendants vous n'avez su résister.
Jour et nuit, elles ont été complices de vos beaux,

Tirant les rideaux, puis tenant le flambeau.
De vos passions illicites les témoins elles ont été —
Il faut les faire taire, sinon la vérité va éclater !

Pénélope :
Dans ce cas, c'est à vous de me sauver, chère nourrice
Et, ce faisant, de préserver l'honneur d'Ulysse !
Parce qu'il a tété vos mamelles désormais flétries,
De vous seule jamais il ne se méfie.
Dénoncez ces servantes étourdies et déloyales,
Que les prétendants ont troussées au palais royal,
Souillées, éhontées et indignes, je vous le dis,
D'être les esclaves d'un maître tel que lui !

Euryclée :
Clouons-leur le bec en les expédiant chez Hadès
Qui les pendra haut et court, leur tirant sur la laisse.

Pénélope :
Et moi pour la postérité je serai femme modèle.
Que les hommes envieront à Ulysse son épouse fidèle !
Hâtons-nous, les prétendants pour leur cour vont arriver
Et, pour ma part, il est temps que je me mette à chialer !

Le chœur (en souliers à claquettes) :
C'est la faute aux servantes !
Des traînées, bêtes et méchantes !
Qu'on les pende et vilipende —
C'est la faute aux servantes !

C'est la faute aux esclaves !
Des jouets, des pions, des épaves !
Vite, la corde, sus à cette vile horde —
C'est la faute aux esclaves !

C'est la faute aux putains !
Sales petites catins !
Pas une, en vérité, qui ne soit souillée —
C'est la faute aux putains !

Elles font la révérence.

XXII

Hélène prend un bain

Je me promenais au milieu des asphodèles, toute à la nostalgie du temps jadis, quand j'ai vu Hélène s'avancer vers moi d'un pas tranquille. À ses trousses, il y avait la horde habituelle d'esprits mâles en émoi, frétillant d'impatience. Elle ne les gratifiait pas d'un regard, même si, de toute évidence, elle était pleinement consciente de leur présence. Elle a depuis toujours des antennes invisibles qui s'agitent à l'apparition du moindre mâle.

— Tiens, bonjour, petite cousine canard, m'a-t-elle dit du ton de condescendance affable dont elle usait avec moi. J'allais justement prendre un bain. Tu m'accompagnes ?

— Nous sommes des esprits, Hélène, lui ai-je répondu en esquissant ce que j'espérais être un sourire. Les esprits n'ont pas de corps. Ils ne se salissent pas. Ils n'ont pas besoin de se laver.

— Je n'ai jamais pris de bain que pour des raisons spirituelles, a répondu Hélène en ouvrant tout grands ses yeux adorables. Au milieu de l'agitation, cette activité me détend. Tous ces hommes qui se battent sans relâche pour m'avoir… C'est fatigant, tu n'as pas idée. La beauté divine est un lourd fardeau. Voilà au moins une épreuve qui t'aura été épargnée !

Remarque perfide que je n'ai pas relevée.

— Tu as l'intention de retirer ta tunique spirituelle? ai-je demandé.

— Nous connaissons tous ta légendaire pudeur, Pénélope, a-t-elle répondu. À supposer que tu prennes un bain, je suis certaine que tu garderas tes vêtements, comme tu le faisais de ton vivant, j'imagine. Hélas, a-t-elle ajouté en souriant, la pudeur ne compte pas parmi les dons que m'a légués la riante Aphrodite. Je préfère donc me baigner sans ma tunique, même en esprit.

— D'où sans doute le nombre inhabituel de spectateurs que tu as attirés, ai-je dit sèchement.

— Inhabituel, vraiment? a-t-elle demandé en arquant le sourcil d'un air innocent. Il y a toujours une multitude d'hommes à mes trousses. Je ne les compte jamais. Et comme ils sont si nombreux à être morts pour moi — à cause de moi, en réalité —, je me dis que je leur dois bien quelque chose.

— Un bref aperçu de ce qui leur a été refusé sur Terre, peut-être.

— Le désir ne meurt pas avec le corps, a dit Hélène. Seule la capacité de l'assouvir s'éteint. Un ou deux regards furtifs les requinquent un peu, les pauvres chéris.

— Ça leur donne une raison de vivre, en somme.

— Tu fais de l'esprit, a rétorqué Hélène. Mieux vaut tard que jamais, je suppose.

— Pour mon esprit ou pour ton cul et tes tétons offerts à la vue de tous? ai-je demandé.

— Quel cynisme, a constaté Hélène. Nous avons beau ne plus être, disons, de ce monde, avons-nous besoin de nous montrer aussi négatives? Et si… vulgaires? Quelques-uns d'entre nous sommes d'une nature généreuse; quelques-uns d'entre nous prenons plaisir à aider les moins bien nantis.

— Et le sang qu'ils ont versé pour toi? Tu t'en laves les mains? Au figuré, s'entend. Le bain, c'est ta façon à toi de te faire pardonner tous ces corps mutilés ? Et moi qui croyais que la culpabilité ne pouvait pas t'atteindre.

La remarque l'a piquée au vif. Elle a eu une légère grimace.

— Dis-moi, mon petit canard, combien d'hommes Ulysse a-t-il massacrés à cause de toi ?

— Pas mal, ai-je répondu.

Le nombre exact lui était connu. Depuis longtemps, elle s'était assurée que le total était dérisoire par rapport aux pyramides de corps entassés devant sa porte.

— Tout dépend de ce qu'on entend par « pas mal », a dit Hélène. C'est bien. Je suis certaine que tu te sens plus importante à la pensée de ces hommes. Peut-être même plus belle.

Elle a souri, de la bouche seulement.

— Bon, il faut que j'y aille, mon petit canard. On se reverra, j'en suis sûre. Profite bien des asphodèles.

Sur ces mots, elle s'est éloignée en flottant, son entourage émoustillé sur ses talons.

XXIII

Ulysse et Télémaque exterminent les servantes

Pendant le carnage, j'ai dormi. Comment est-ce possible ? Je soupçonne Euryclée d'avoir mis quelque drogue dans la boisson réconfortante qu'elle m'a servie. Pour me garder en dehors du coup, m'empêcher d'intervenir. De toute façon, je n'aurais pas vu grand-chose : Ulysse avait fait boucler toutes les femmes dans leurs quartiers.

Euryclée a décrit la scène pour mon profit et pour celui de quiconque voulait l'entendre. D'abord, a-t-elle dit, Ulysse — toujours déguisé en mendiant — s'est contenté d'observer tandis que Télémaque disposait les douze haches et que les prétendants essayaient en vain de tendre l'arc fameux. Ensuite, il s'est emparé de l'arc et, après l'avoir tendu, il a propulsé une flèche dans le trou des douze fers — s'assurant ainsi ma main pour une deuxième fois. Puis il a tué Antinoos en lui transperçant le cou d'une autre flèche. Ayant laissé tomber son déguisement, il a ensuite taillé en pièces le reste des prétendants, au moyen de flèches, d'abord, puis de lances et d'épées. Télémaque et deux fidèles, un bouvier et un porcher, lui sont venus en aide. L'exploit, cependant, demeurait considérable.

Les prétendants avaient à leur disposition un certain nombre de lances et d'épées, fournies par Mélantheus, traître chevrier, mais, en fin de compte, toute cette quincaillerie ne leur a pas été d'un grand secours.

Euryclée a dit que les autres femmes et elle, peureusement recroquevillées près de la porte verrouillée, ont entendu les cris, le craquement des meubles qui volaient en éclats et les gémissements des agonisants. Puis elle m'a décrit l'horrible suite.

Ulysse l'a fait venir et lui a intimé l'ordre de dénoncer les servantes qui avaient été, pour reprendre son expression, « infidèles ». Il a obligé les filles à traîner les corps dans la cour — y compris ceux de leurs anciens amants —, puis à débarrasser le sol des cervelles et des humeurs qui le souillaient, à laver à grande eau les tables et les chaises intactes.

Puis il a ordonné à Télémaque de découper les servantes en morceaux avec son épée. Mais mon fils, désireux de s'affirmer auprès de son père et de montrer qu'il savait y faire — c'était de son âge —, les a pendues en rangée au câble d'un navire.

Tout de suite après, a poursuivi Euryclée, incapable de cacher sa joie mauvaise, Ulysse et Télémaque ont coupé les oreilles, le nez, les mains, les pieds et les organes génitaux de Mélantheus, l'infâme chevrier, et, insensibles aux cris d'agonie du malheureux, ont jeté le tout en pâture aux chiens.

— Ils devaient faire un exemple, a dit Euryclée, pour faire passer aux autres l'envie de trahir Ulysse.

— De quelles servantes s'agit-il ? ai-je demandé en commençant à verser quelques larmes. Que les dieux me viennent en aide ! Quelles servantes ont-ils pendues ?

— Maîtresse, chère enfant, s'est écriée Euryclée, redoutant ma colère, il voulait les tuer toutes ! J'ai dû en choisir quelques-unes, sinon elles auraient toutes péri !

— Lesquelles ? ai-je répété en me forçant au calme.

— Douze seulement, a-t-elle bredouillé. Les impertinentes. Et les grossières. Celles qui avaient l'habitude de me faire des pieds de nez. Mélantho aux belles joues et ses acolytes — vous voyez le genre. Des putains notoires.

— Celles qui ont été violées, ai-je dit. Les plus jeunes. Les plus belles.

Mes yeux et mes oreilles au milieu des prétendants, ai-je songé à part moi. Mes complices, la nuit, devant le linceul. Mes oies blanches. Mes grives, mes colombes.

Tout était de ma faute ! Je n'avais pas informé Euryclée de ma supercherie.

— Ça leur est monté à la tête, a dit Euryclée, sur la défensive. Le roi Ulysse ne pouvait tolérer la présence de pareilles impertinentes dans son palais. Jamais il n'aurait eu confiance en elles. Maintenant, descends, mon enfant. Ton mari t'attend.

Que faire ? Les lamentations n'allaient pas ressusciter mes jolies. Je me suis mordu la langue. Que j'eusse encore une langue tenait du miracle. Je me l'étais si souvent mordue au fil des ans.

Les morts ne reviennent jamais, me suis-je dit. Je vais prier et faire des sacrifices pour leurs âmes. En secret, cependant, sinon Ulysse allait se mettre à me soupçonner, moi aussi.

Il y a une explication plus sinistre. Et si Euryclée avait été au fait de ma connivence avec les servantes — de l'ordre que je leur avais donné d'espionner les prétendants et de jouer les filles rebelles ? Et si elle les avait désignées et fait tuer par dépit d'avoir été exclue et par désir de conserver sa place privilégiée auprès d'Ulysse ?

Ici-bas, je n'ai pas réussi à la coincer pour lui poser la question. Elle a fait main basse sur une douzaine de bébés morts qui lui prennent tout son temps. Ils ne grandiront jamais, véritable bénédiction pour elle. Chaque fois que je m'approche d'elle dans l'intention de lui parler, elle dit :

— Plus tard, mon enfant, plus tard. Miséricorde ! J'en ai plein les bras ! Regarde s'ils sont mignons, ceux-là, couki couka — kaki couda.

Je ne saurai donc jamais.

XXIV

Le chœur : Séminaire d'anthropologie

Donné par les servantes

Quelle image notre nombre, le nombre de servantes — le chiffre « douze » —, éveille-t-il dans un esprit cultivé ? Il y a les douze apôtres, les douze coups de minuit, bien sûr, mais aussi les douze mois de l'année. Quelle image le mot « mois » éveille-t-il dans un esprit cultivé ? Oui, vous, monsieur, au fond ? Exactement ! Le mot « mois », comme chacun sait, vient de *mensis* qui, en vieux latin, signifiait « lune ». Le hasard n'est pour rien, rien du tout, dans le fait que nous ayons été douze, plutôt que onze ou treize, ou même sept comme les nains de Blanche-Neige.

Car nous n'étions pas que de simples servantes. Nous n'étions pas que de simples esclaves et cendrillons. Non, monsieur, non, madame. Nul doute que nous exercions de plus nobles fonctions ! Se peut-il que nous ayons été des servantes au sens religieux du terme, les douze vierges lunaires, compagnes d'Artémis, virginale mais implacable déesse de la lune ? Se peut-il que nous ayons été immolées, des prêtresses dévouées jouant le rôle qui leur avait été confié, d'abord en nous livrant à des rites de fertilité orgiastiques avec les prétendants, ensuite en nous purifiant dans le sang des victimes mâles — il y en avait des monceaux, quel tribut pour la déesse ! —, retrouvant ainsi notre virginité, comme l'avait fait Artémis en se baignant dans les eaux d'un ruisseau teintées du sang d'Actéon ? Nous nous serions ainsi sacrifiées de notre plein gré, parce qu'il le fallait : nous aurions rejoué le mystère de la nouvelle lune afin que tout le cycle recommence et que la grande déesse argentée renaisse à nouveau. Pourquoi Iphigénie plus que nous devrait-elle être citée comme modèle d'altruisme et de dévouement ?

Cette lecture des événements n'est pas sans lien — excusez le jeu de mots — avec le câble de navire auquel nous avons été pendues, puisque la lune en son quartier est un bateau. Et songez à l'arc qui joue un rôle si prépondérant dans l'histoire — l'arc en croissant de lune d'Artémis, celui dont on s'est servi pour traverser les douze têtes de hache — douze ! La flèche est passée dans les douze fers, de forme arrondie, lunaire ! Et la pendaison elle-même — songez, chers esprits éclairés, à la signification de la pendaison ! Au-dessus de la terre, dans les airs, les filles liées à la mer, que gouverne la lune, par le cordon ombilical d'un câble de navire — les indices sont trop nombreux pour que vous les ratiez tous !

Pardon, monsieur ? Oui, vous, au fond. C'est exact, oui. Il y a effectivement treize mois lunaires. Aussi aurions-nous dû être treize. Par conséquent, vous dites — d'un air suffisant, avouons-le — que la théorie que nous échafaudons à propos de nous-mêmes ne tient pas puisque nous n'étions que douze. Attendez, attendez — nous étions treize, en réalité ! La treizième d'entre nous était notre grande prêtresse, incarnation d'Artémis en personne. Nous avons nommé — oui ! — la reine Pénélope.

Il est donc possible que les viols et les pendaisons subséquentes illustrent le renversement d'un culte lunaire matrilinéaire par un groupe d'usurpateurs barbares, adorateurs des dieux masculins, aux visées patriarcales. Leur chef, Ulysse, nommément, a ainsi accédé au trône en épousant la grande prêtresse de notre culte, Pénélope.

Non, monsieur : nous refusons catégoriquement d'admettre que notre théorie n'est qu'un ramassis de foutaises féministes sans fondement. Nous comprenons que vous ayez du mal à accepter que de tels sujets soient soulevés en public — les meurtres et les viols n'ont rien de particulièrement agréable —, mais des phénomènes semblables se sont produits sur tout le pourtour de la Méditerranée, comme l'ont montré à répétition les fouilles archéologiques menées dans les sites préhistoriques.

Il ne fait aucun doute que les haches en question — dont, fait significatif, on ne s'est pas servi dans la boucherie consécutive et dont, fait significatif toujours, des analyses échelonnées sur trois millénaires n'ont jamais expliqué l'existence de façon satisfaisante — correspondent aux *labrys* rituels à double tranchant associés au culte de la Grande Mère chez les Minoens, ces haches qu'on utilisait pour décapiter le concubin de la déesse au terme de son règne de treize mois lunaires ! Qu'un roi rebelle s'empare de l'arc même de la déesse pour lancer une flèche dans les fers de ses propres haches de vie et de mort rituelles afin d'affirmer son pouvoir sur elle — quel sacrilège ! Au même titre que le pénis patriarcal décidant unilatéralement de pénétrer le... Mais voilà que nous nous laissons emporter.

Dans l'ordre pré-patriarcal, il y aurait peut-être eu un concours de tir à l'arc, mais il aurait été organisé selon les règles de l'art. Le gagnant aurait été déclaré roi rituel pour un an, après quoi on l'aurait pendu — n'oubliez pas le motif du pendu, qui ne subsiste que dans une carte inférieure du tarot. On lui aurait aussi arraché les parties génitales, comme il sied au faux bourdon époux de la reine des abeilles. La conjugaison des deux actes — la pendaison et l'émasculation — assurait la fertilité des récoltes. Ulysse, homme fort et usurpateur, avait cependant refusé de mourir au terme de son mandat légitime.

Assoiffé de pouvoir et d'immortalité, il avait trouvé des substituts. On avait bel et bien arraché des organes génitaux, mais pas les siens — ils appartenaient plutôt à Mélantheus, le chevrier. Il y avait bel et bien eu pendaison, mais c'est nous, les douze servantes lunaires, qui avons oscillé à sa place au bout de la corde.

Et ce n'est pas tout. Voulez-vous voir des peintures sur vase, des objets sculptés associés au culte de la déesse ? Non ? Tant pis. Ce qu'il y a, chers esprits cultivés, c'est que vous ne devez pas trop vous en faire à notre sujet. Ne voyez pas en nous des filles véritables, en chair et en os, de la douleur véritable, ni de l'injustice véritable. Vous risquez d'être trop troublés. Faites abstraction de tout ce qui est sordide. Considérez-nous plutôt comme de purs symboles. Nous ne sommes pas plus tangibles que ne l'est l'argent.

XXV

Cœur de silex

J'ai descendu l'escalier en soupesant les choix qui s'offraient à moi. En entendant Euryclée me dire que c'était Ulysse qui avait tué les prétendants, j'avais fait semblant de ne pas la croire. Peut-être s'agissait-il d'un imposteur, lui avais-je dit — comment allais-je reconnaître Ulysse au terme d'une absence de vingt ans ? Je me demandais aussi comment il me trouverait. J'étais très jeune quand il avait pris la mer ; j'étais aujourd'hui une matrone. Pouvait-il seulement ne pas être déçu ?

J'ai décidé de le faire languir. Je l'avais moi-même assez attendu. Sans compter que j'avais besoin de temps pour dissimuler mes véritables sentiments à l'égard de la malheureuse pendaison de mes douze jeunes servantes.

Quand, à mon entrée dans la grand-salle, je l'ai trouvé assis, je n'ai pas dit un mot. Télémaque n'a pas perdu une minute ; il s'est mis aussitôt à me faire des remontrances, à me reprocher la froideur de mon accueil. Il m'a traitée de « cœur de silex ». Je me rendais compte qu'il s'était fait une image mentale idyllique : son père et lui, hommes adultes, faisaient front contre moi, deux coqs à la tête du poulailler. Naturellement, je ne lui voulais que du bien — il était mon fils, et je lui souhaitais de réussir dans toutes ses entreprises, qu'il se fasse chef politique, guerrier ou autre chose —, mais, pour l'heure, je regrettais qu'il n'y eût pas une autre guerre de Troie où je pourrais l'envoyer pour qu'il me lâche un peu. À l'apparition de leurs premiers poils de barbe, les garçons sont souvent casse-pied.

La dureté de mon cœur était une illusion que j'étais heureuse d'entretenir, cependant : Ulysse comprendrait ainsi que je ne me serais pas jetée dans les bras du premier venu se faisant passer pour lui. Je l'ai donc regardé sans broncher avant de déclarer qu'on aurait du mal à me faire avaler que ce vagabond sale et maculé de sang était mon mari si beau, celui qui, vingt ans auparavant, avait pris la mer, magnifiquement vêtu.

Ulysse a eu un sourire narquois. Il avait hâte d'arriver à la révélation, à la scène où je m'écrierais : « C'était donc toi ! Quel habile déguisement ! », avant de me jeter à son cou. Puis il est allé prendre le bain dont il avait le plus grand besoin. Quant il est revenu, vêtu de propre — il dégageait désormais une odeur beaucoup plus agréable —, je n'ai pu m'empêcher de le taquiner un peu. J'ai en effet ordonné à Euryclée de sortir le lit de la chambre d'Ulysse et de le préparer pour l'étranger.

Vous vous rappellerez sans doute qu'une des colonnes du lit était sculptée à même un arbre enraciné dans le sol. Personne n'était au courant, à part Ulysse, la servante Actoris de Sparte, morte depuis belle lurette, et moi.

Certain qu'on avait osé couper sa colonne de lit chérie, Ulysse a aussitôt piqué une crise. Ce n'est qu'à ce moment que j'ai cédé et que je me suis livrée tout entière au jeu des retrouvailles. Après avoir versé le nombre de larmes voulu et l'avoir étreint, je lui ai dit qu'il avait réussi l'épreuve, que j'étais enfin convaincue.

Nous avons donc réintégré le lit conjugal, celui-là même où nous avions coulé des heures si douces aux lendemains de notre mariage, avant qu'Hélène ne se mette en tête de s'enfuir avec Pâris, d'allumer les feux de la guerre et de dévaster mon foyer. J'étais heureuse de la pénombre qui régnait dans la pièce : nous avions l'air moins ratatinés que nous ne l'étions en réalité.

— Nous ne sommes plus de la première jeunesse, ai-je dit.

— Nous sommes tels que nous sommes, a répondu Ulysse.

Au bout d'un certain temps, rassasiés l'un de l'autre, nous avons repris notre bonne vieille habitude : nous raconter des histoires. Ulysse m'a parlé de ses voyages et de ses épreuves — les plus nobles s'entend, celles où il y avait des monstres et des déesses, plutôt que les plus sordides, peuplées d'aubergistes et de putains. Il m'a raconté ses multiples mensonges, les noms d'emprunt sous lesquels il s'est fait connaître — avoir dit au Cyclope qu'il s'appelait Personne a été son meilleur coup, bien qu'il l'ait gâché par orgueil —, les antécédents frauduleux qu'il a inventés de toutes pièces afin de cacher son identité et ses intentions. À mon tour, je lui ai parlé des prétendants, de la supercherie du linceul de Laërte et du brio avec lequel je les ai induits en erreur et montés les uns contre les autres.

Puis il m'a dit que je lui avais manqué et qu'il avait été éperdu de désir pour moi, même quand il s'abandonnait dans les bras blancs des déesses ; je lui ai fait le récit de toutes les larmes que j'avais versées pendant vingt ans, dans l'attente de son retour, de ma fidélité indéfectible. Jamais n'avais-je caressé ne fût-ce qu'un instant le projet de souiller le lit gigantesque à la colonne magique en y couchant avec un autre homme.

Depuis toujours, nous étions tous deux — de notre propre aveu — des menteurs émérites et éhontés. Étonnant que nous ayons prêté foi aux dires de l'un et de l'autre.

Et pourtant, il m'a crue et je l'ai cru.

C'est du moins l'assurance que nous nous sommes donnée.

À peine rentré, Ulysse est reparti. Il lui coûtait de s'arracher à moi, m'a-t-il assuré, mais il devait repartir à l'aventure. L'esprit du prophète Tirésias lui avait en effet dit qu'il devait se purifier en transportant une rame si loin à l'intérieur des terres que les habitants de la contrée en question la prendraient pour une pelle à grains. Ce n'est qu'alors qu'il pourrait se laver du sang des prétendants, échapper à leurs fantômes et à leurs parents vengeurs, et apaiser l'ire de Poséidon, dieu de la mer, qui lui en voulait toujours d'avoir aveuglé son fils le Cyclope.

C'était un récit crédible. Mais au fond, ses récits l'étaient toujours.

XXVI

Le chœur : Le procès d'Ulysse
(filmé sur vidéo par les servantes)

Le procureur de la défense : Qu'il me soit permis, Votre Honneur, de dire un mot de l'innocence de mon client, Ulysse, héros légendaire au-dessus de tout soupçon, qui répond devant vous de multiples accusations de meurtre. Était-il ou non en droit de tuer, au moyen de flèches et de lances — nous ne contestons ni les meurtres ni les armes utilisées, — jusqu'à cent vingt jeunes hommes de bonne famille, à une petite douzaine près, lesquels, j'insiste sur ce point, avaient mangé la nourriture de sa table sans sa permission, embêté sa femme, comploté pour assassiner son fils et usurper son trône ? Mon distingué collègue a argué qu'Ulysse n'était pas fondé à agir de la sorte puisque l'assassinat des jeunes hommes était une réaction grossièrement exagérée face à l'enthousiasme peut-être un rien excessif avec lequel ils avaient joué les pique-assiettes.

On allègue aussi qu'Ulysse, ses héritiers et ses ayant droit s'étaient vu offrir des dédommagements importants en contrepartie des denrées consommées et qu'ils auraient dû les accepter pacifiquement. Lesdits dédommagements, cependant, ont été proposés par ceux-là même qui, en dépit de demandes répétées, n'ont rien fait pour endiguer leur appétit remarquable, défendre Ulysse ni protéger sa famille. En l'absence d'Ulysse, ces jeunes hommes ne lui ont témoigné aucune loyauté, bien au contraire. Que valait donc leur parole? Malgré leurs belles promesses, un homme raisonnable pouvait-il escompter le remboursement d'un seul bœuf?

Et pensons un peu au nombre des adversaires. Cent vingt, à une douzaine près, contre un ou — à la rigueur — quatre, puisque Ulysse avait des « complices », pour reprendre le mot de mon estimé collègue, c'est-à-dire, en l'occurrence, un parent tout juste sorti de l'enfance et deux serviteurs non rompus au métier des armes. Qu'est-ce donc qui empêchait les jeunes gens de faire semblant de passer un marché pour ensuite se ruer sur lui, un soir qu'il aurait baissé sa garde, et le mettre à mort? Nous soutenons pour notre part que notre éminent client, en profitant de la seule occasion que le destin allait selon toute vraisemblance lui offrir, a agi en légitime défense. Voilà pourquoi nous demandons le non-lieu.

Le juge : Je suis porté à vous donner raison.

Le procureur de la défense : Merci, Votre Honneur.

Le juge : Quel est donc ce grabuge, au fond? Silence, je vous prie! Un peu de tenue, mesdames! Rectifiez votre mise! Enlevez ces cordes autour de vos cous! Asseyez-vous!

Les servantes : Vous nous avez oubliées. Et notre affaire à nous? Ne le laissez pas s'en tirer! Il nous a pendues de sang-froid! Nous étions douze! Douze jeunes filles! Pour rien!

Le juge (à l'intention du procureur de la défense) : Il s'agit d'une nouvelle accusation. À strictement parler, elle devrait faire l'objet d'un procès distinct; toutefois, comme les deux affaires sont intimement liées, je suis disposé à entendre la preuve maintenant. Que répondez-vous au nom de votre client?

Le procureur de la défense : Il était dans son droit, Votre Honneur. Elles étaient ses esclaves.

Le juge : À la bonne heure, mais il devait bien avoir ses raisons. Elles avaient beau être des esclaves, nul ne doit tuer sur un coup de tête. Qu'avaient donc fait ces filles pour mériter d'être pendues ?

Le procureur de la défense : Elles ont eu des relations sexuelles sans permission.

Le juge : Ah bon. Je vois. Et avec qui ont-elles eu les relations en question ?

Le procureur de la défense : Avec les ennemis de mon client, Votre Honneur. Ceux-là même qui avaient des visées sur sa mie, sans parler de sa vie.

(Le procureur rit tout bas, ravi de se trouver si spirituel.)

Le juge : Si je comprends bien, il s'agissait des servantes les plus jeunes.

Le procureur de la défense : Oui, naturellement. C'étaient les plus jolies et les plus baisables, indubitablement. Pour la plupart, du moins.

(Les servantes laissent échapper un rire amer.)

*Le juge (feuilletant un livre : il s'agit de l'*Odyssée*)* : On lit ici, dans ce livre — ouvrage auquel nous devons nous référer, puisqu'il fait autorité en la matière, même si, à mon humble avis, il va à l'encontre de l'éthique et renferme beaucoup trop de violence et de sexe —, on lit ici, dis-je, laissez-moi voir, au chant XXII, que les servantes ont été violées. Par les prétendants, en l'occurrence. Personne n'a levé le petit doigt pour les en empêcher. De plus, on affirme que les prétendants ont utilisé les servantes à leurs fins viles ou dégoûtantes. Votre client était au courant — c'est lui-même qui a tenu ces propos. Les servantes ont donc été prises de force et laissées totalement sans défense. Est-ce exact ?

Le procureur de la défense : Je n'étais pas là, Votre Honneur. C'était trois ou quatre mille ans avant ma naissance.

Le juge : En effet, c'est un problème. Que l'on convoque le témoin Pénélope.

Pénélope : Je dormais, Votre Honneur. Je dormais souvent. Je ne peux que vous répéter ce qu'elles ont dit après coup.

Le juge : Qui ça, « elles » ?

Pénélope : Les servantes, Votre Honneur.

Le juge : Elles ont dit avoir été violées ?

Pénélope : Eh bien, oui, Votre Honneur. En effet.

Le juge : Et vous les avez crues ?

Pénélope : Oui, Votre Honneur. C'est-à-dire que j'ai été plutôt portée à les croire.

Le juge : Je crois comprendre qu'elles se montraient souvent impertinentes.

Pénélope : Oui, Votre Honneur, mais…

Le juge : … mais vous ne les punissiez pas, et vous les avez gardées à votre service ?

Pénélope : Je les connaissais bien, Votre Honneur. Elles m'étaient chères. On pourrait même dire que c'est moi qui ai élevé certaines d'entre elles. Elles ont en quelque sorte été les filles que je n'ai jamais eues. *(Elle se met à sangloter.)* J'avais pitié d'elles ! Tôt ou tard, la plupart des servantes se faisaient violer, cependant. Hélas, les choses se passent souvent ainsi dans les palais. Ce que leur reprochait Ulysse, ce n'était pas d'avoir été violées. C'était de l'avoir été sans permission.

Le juge (qui rit un peu) : Excusez-moi, madame, mais le viol ne se commet-il pas, par définition, « sans permission » ?

Le procureur de la défense : Sans la permission de leur maître, Votre Honneur.

Le juge : Ah bon. Je vois. Leur maître, cependant, était absent. Dans les faits, les servantes ont donc été forcées de coucher avec les prétendants parce que, en cas de résistance de leur part, elles auraient été violées de toute façon, de manière beaucoup moins agréable ?

Le procureur de la défense : Je ne vois pas le rapport avec l'affaire qui nous occupe.

Le juge : Votre client non plus, de toute évidence. *(Rire léger.)* Cependant, ce dernier a vécu à une époque différente de la nôtre. Les normes de comportement étaient alors différentes. Il serait dommage que cet incident regrettable mais mineur entache une carrière autrement des plus distinguées. De plus, je ne voudrais surtout pas me rendre coupable d'anachronisme. Je n'ai donc d'autre choix que de prononcer le non-lieu.

Les servantes : Justice ! Nous voulons réparation ! Nous exigeons un verdict de culpabilité au nom de la loi du sang ! Nous en appelons aux Coléreuses !

Une troupe de douze Érinyes apparaît. Elles ont une chevelure de serpents, une tête de chien et des ailes de chauve-souris. Elles reniflent l'air.

Les servantes : Ô Coléreuses, ô Furies, vous êtes notre dernier espoir ! Nous vous implorons de châtier et de tirer vengeance en notre nom ! Défendez-nous, nous que personne n'a défendues de notre vivant ! Flairez Ulysse, où qu'il aille ! D'un lieu à l'autre, d'une vie à l'autre, quel que soit le déguisement qu'il enfile, quelle que soit la forme qu'il prenne, traquez-le ! Reniflez ses pas, sur terre et dans l'Hadès, où qu'il cherche refuge, dans les chants et dans les pièces de théâtre, dans les traités et dans les thèses, dans les notes de bas de page et dans les annexes ! Apparaissez-lui sous notre forme, notre forme ravagée, la forme de nos corps pitoyables ! Ne lui laissez pas de repos !

Les Érinyes se tournent vers Ulysse. Leurs yeux rouges scintillent.

Le procureur de la défense : Je prie Pallas Athéna aux yeux gris, fille immortelle de Zeus, de défendre le droit à la propriété et le droit d'un homme d'être maître chez lui — qu'elle fasse disparaître mon client dans un nuage !

Le juge : Qu'est-ce qui se passe ici ? Silence ! Silence ! Vous êtes dans une cour de justice du XXIe siècle ! Vous, là, descendez du plafond! Veuillez cesser d'aboyer et de siffler! Madame, couvrez votre poitrine et baissez votre lance! Qu'est-ce que c'est que ce nuage? Où sont les policiers? Où est l'accusé? Où est passé tout le monde?

XXVII

Vie domestique dans l'Hadès

L'autre soir, je contemplais votre monde à travers les yeux d'une médium entrée en transe. Sa cliente souhaitait consulter son petit ami au sujet de la vente éventuelle de leur condominium, mais, à la place, elles sont tombées sur moi. Dès qu'il y a une ouverture, j'en profite. Je ne sors pas autant que je le voudrais.

Non pas que je veuille dénigrer mes hôtes, mais il est étonnant de constater jusqu'à quel point les vivants s'obstinent à enquiquiner les morts. D'une ère à l'autre, à peine si les choses changent, si on excepte les méthodes utilisées. Je dois dire que les sibylles ne me manquent pas particulièrement — elles et leurs rameaux d'or, toujours accompagnées de quelques parvenus désireux de connaître l'avenir qui troublent la quiétude des ombres —, mais au moins les sibylles savaient vivre, si j'ose dire. Les magiciens et les illusionnistes venus ensuite étaient bien pires, même s'ils prenaient toute l'affaire très au sérieux.

Ceux d'aujourd'hui, en revanche, sont presque trop grossiers pour mériter la moindre attention. Tout ce qui les intéresse, ce sont les cours de la Bourse, la politique internationale, leurs petits bobos et d'autres balivernes du même genre. Sans compter qu'ils souhaitent converser avec des gens de rien que nous, sujets de ce royaume, ne connaissons ni d'Ève ni d'Adam. Qui est donc cette « Marilyn » dont tout le monde fait un si grand cas ? Et cet « Adolf » ? Frayer avec ces gens est une perte de temps, un exercice exaspérant.

Mais ce n'est que grâce à ces infimes brèches que j'arrive à suivre Ulysse dans ses pérégrinations, lorsqu'il ne se trouve pas ici-bas sous sa forme habituelle.

Les règles, vous les connaissez, j'imagine. Si nous le souhaitons, nous avons la possibilité de renaître et de faire un autre tour de manège ; mais auparavant, il faut boire les eaux de l'oubli, qui effacent de notre mémoire la moindre trace de nos vies antérieures. C'est la théorie, en tout cas. À l'instar de toutes les théories, celle-ci vaut ce qu'elle vaut. Les eaux de l'oubli ne fonctionnent pas toujours comme elles le devraient. Nombreux sont ceux qui se souviennent de tout. Certains laissent entendre qu'il y a plus d'une sorte d'eau, que le robinet dispense aussi les eaux du souvenir. Pour ma part, je n'en sais trop rien.

Hélène s'est permis plus que sa part d'excursions. C'est ainsi qu'elle les appelle : « mes petites excursions ».

— Je me suis amusée comme une folle, commence-t-elle.

Puis elle me fait par le menu le récit de ses dernières conquêtes afin de me tenir au courant de l'évolution de la mode. C'est par son entremise que j'ai pris connaissance des mouches de taffetas, des ombrelles, des faux culs, des chaussures à talons hauts, des gaines, des bikinis, des exercices d'aérobie, du piercing et de la liposuccion. Ensuite elle se lance dans de grandes envolées sur sa conduite égrillarde, les bouleversements qu'elle a provoqués et le nombre d'hommes dont elle a causé la ruine. Elle se plaît à dire que des empires se sont écroulés à cause d'elle.

— Je crois comprendre que l'interprétation de la guerre de Troie a changé, lui dis-je pour lui rabattre le caquet. On pense maintenant que tu n'étais qu'un mythe. Il s'agissait d'abord et avant tout de s'assurer la mainmise sur les voies commerciales. C'est en tout cas ce qu'affirment les universitaires.

— Pauvre Pénélope. Ne me dis pas que tu es encore jalouse de moi, fit-elle. Nous devrions pourtant pouvoir être amies, maintenant ! Pourquoi ne pas m'accompagner en surface, la prochaine fois ? Nous irons à Las Vegas. Une sortie entre filles ! J'oublie — ce n'est pas ton genre. Tu préfères jouer la petite bobonne fidèle, attelée à son métier à tisser et tout ça. Moi qui n'ai pas ta sagesse, je n'y arriverais pas, je périrais d'ennui. Tu as toujours été si casanière.

Elle a raison. Jamais je ne boirai les eaux de l'oubli. Je n'en vois pas l'intérêt. Ou plutôt, je ne suis pas disposée à courir le risque. Même si ma vie antérieure a été pénible, qui dit que la prochaine ne serait pas encore plus dure ? Malgré la connaissance limitée que j'en ai, je me rends compte que le monde d'aujourd'hui est aussi dangereux que celui que j'ai connu, sauf que la misère et la souffrance sont beaucoup plus répandues. Quant à la nature humaine, elle est plus vulgaire que jamais.

Rien de tout cela n'arrête Ulysse. Il fait escale ici pendant un certain temps, l'air heureux de me voir, m'assure qu'il n'a jamais aspiré à rien d'autre qu'à vivre avec moi, sans égard aux ravissantes beautés dont il a partagé la couche et aux folles aventures qu'il a vécues. Nous faisons une promenade paisible en croquant quelques asphodèles et en ressassant de vieilles histoires. Il me donne des nouvelles de Télémaque — il est devenu député, je suis si fière ! —, puis, à l'instant où je commence à me détendre, où je sens que je pourrais lui pardonner tout ce qu'il m'a fait endurer et l'accepter malgré ses défauts, bref à l'instant où je me prends à le croire sincère, le voilà qui détale et fonce vers le Léthé pour renaître à nouveau.

Il est sincère. Vraiment. Il veut être avec moi. Il sanglote en prononçant ces mots. Mais une étrange force nous sépare.

Ce sont les servantes. Il les aperçoit au loin qui foncent vers nous. Elles le rendent nerveux. Elles lui donnent la bougeotte. Elles le font souffrir. À cause d'elles, il a le désir d'être n'importe où ailleurs, n'importe qui d'autre.

Il a été général français, envahisseur mongol, magnat de la finance en Amérique, chasseur de têtes à Bornéo. Il a été vedette de cinéma, inventeur, publicitaire. Chaque fois, les choses se sont mal terminées. Suicide, accident, mort au champ de bataille ou assassinat, et il est de retour ici.

— Pourquoi ne le laissez-vous pas tranquille ? crié-je en direction des servantes.

Si je crie, c'est parce qu'elles ne me laissent pas les approcher.

— C'est assez, non ? Il a fait pénitence, il a dit ses prières, il s'est purifié !

— Pour nous, non, ce n'est pas assez, répondent-elles.

— Qu'est-ce qu'il vous faut de plus ?

Je pleure.

— Dites-le-moi, je vous prie !

Mais elles s'éloignent en courant.

En fait, « courir » n'est pas le mot juste. Leurs jambes sont immobiles. Leurs pieds, toujours agités de soubresauts, ne touchent pas le sol.

XXVIII

Le chœur : Nous marchons sur vos pas
(chanson d'amour)

Hou ! Hou ! Monsieur Personne ! Monsieur Anonyme !
Monsieur l'Illusionniste ! Monsieur le Prestidigitateur, petit-
fils de voleurs et de menteurs !

Nous sommes ici nous aussi, nous les anonymes. Les
autres anonymes. Celles à qui les autres taillent un manteau de
honte. Celles qu'on montre du doigt, celles qu'on tripote.

Filles de main, filles de rien aux belles joues roses, rieuses
allumeuses, ensorceleuses effrontées, jeunes laveuses de sang.

Nous étions douze. Douze derrières ronds comme la lune,
douze bouches appétissantes, vingt-quatre tétons moelleux et,
par-dessus tout, vingt-quatre pieds agités de soubresauts.

Vous vous souvenez de nous ? Bien sûr que vous vous souvenez ! Nous vous avons apporté de l'eau pour vous laver les
mains, nous vous avons lavé les pieds, nous avons fait votre lessive, oint vos épaules, ri de vos plaisanteries, moulu votre grain,
retourné votre lit douillet.

Vous nous avez garrottées, vous nous avez accrochées,
vous nous avez mises à sécher sur une corde comme la
lessive. Quelle joyeuse farce ! Vous avez bien rigolé ! La tête

débarrassée des douze filles de rien crasseuses, jeunes et délicieusement rondes, que vous vous sentiez vertueux, droit et pur !

Vous auriez dû nous inhumer correctement. Vous auriez dû verser du vin sur nous. Vous auriez dû prier pour notre pardon.

Impossible désormais de vous débarrasser de nous, où que vous alliez : dans ce monde ou dans l'autre, dans vos autres vies.

Vos déguisements ne nous trompent pas : nous vous suivons pas à pas, de jour comme de nuit, telle une traînée de fumée, une longue queue, une queue de filles, lourdes comme le souvenir, légères comme l'air. Douze accusatrices aux orteils effleurant le sol, aux mains ligotées derrière le dos. La langue pendante, les yeux exorbités, des chants étouffés dans la gorge.

Pourquoi nous avez-vous assassinées ? Que vous avions-nous donc fait pour mériter la mort ? Vous n'avez jamais répondu à la question.

C'était un geste de vengeance, un geste de dépit, un massacre commandé par l'honneur.

Hou ! Hou ! monsieur Prudence, monsieur Bonté, monsieur l'Égal des dieux, monsieur le Juge ! Regardez par-dessus votre épaule ! Nous voici derrière vous, tout près, si près, près comme un baiser, près comme votre peau.

Nous sommes les servantes, à votre service. Nous sommes là pour vous servir comme vous le méritez. Nous ne vous quitterons jamais, nous vous suivrons partout comme une ombre, douces et tenaces comme de la glu. Jolies servantes, couchées au sommeil de la mort, têtes en ligne.

XXIX

Envoi

nous n'avions pas de voix
nous n'avions pas de nom
nous n'avions pas de choix
filles sans renom
et sans visage

nous avons subi votre rage
ô injustice
mais nous sommes ici
nous sommes ici, nous aussi
au même titre que vous

et maintenant nous vous suivons,
vous, nous vous trouvons, vous,
nous vous appelons,
vous, vous, encore vous,
hou hou hou hou
hou hou hou hou
hou hou

*Les servantes, à qui il pousse des plumes, s'envolent. Elles ont
l'apparence de hiboux.*

Notes

La principale source de *L'Odyssée de Pénélope* est l'édition de Penguin Classic de l'épopée d'Homère : *Odyssey*, traduction de E.V Rieu (1946), révisée par D.C.H. Rieu (1991). (*N.d.T.* Pour la traduction française : l'*Odyssée*, traduction de Victor Bérard, Gallimard, édition dérivée de la Bibliothèque de la Pléiade, 1931.)

Un ouvrage de Robert Graves, *The Greek Myths* (*Les Mythes grecs*, traduit de l'anglais par Mounir Hafez, Fayard, 1985), a aussi joué un rôle déterminant. C'est là qu'on trouve des informations sur le lignage de Pénélope, ses relations familiales — Hélène de Troie était sa cousine — et beaucoup d'autres choses, notamment le récit de ses éventuelles infidélités (voir en particulier les sections 160 et 171). C'est également à Graves que je dois la théorie de Pénélope en tant que figure de proue d'un culte de la déesse, même si, détail curieux, l'auteur ne relève pas l'importance des chiffres « douze » et « treize » relativement aux malheureuses servantes. Pour les récits et leurs variantes, Graves cite de nombreuses sources, entre autres Hérodote, Pausanias, Apollodore et Hygin.

Les *Hymnes homériques* m'ont été d'un concours précieux, notamment en rapport avec le dieu Hermès, tandis que l'ouvrage de Lewis Hyde intitulé *Trickster Makes This World* a jeté un certain éclairage sur le personnage d'Ulysse.

Le chœur des servantes est un hommage au recours à de tels dispositifs dans la dramaturgie grecque. Suivant les conventions de l'époque, on présentait l'action principale sous l'angle du burlesque dans des satires présentées avant les pièces proprement dites.

Remerciements

Mille mercis à Graeme Gibson, Jess Gibson, Ramsay et Eleanor Cook, Phyllida Lloyd, Jennifer Osti-Fonseca, Surya Bhattacharya et John Cullen, qui ont lu les premières versions du manuscrit ; à Vivienne Schuster et Diana McKay, mes agentes britanniques, et à Phoebe Larmore, mon agente nord-américaine ; à Louise Dennys de Knopf Canada, qui a révisé le texte avec *esprit** ; à Heather Sangster, reine du point-virgule, et à Arnulf Conradi qui, malgré la distance, m'a fait profiter de ses lumières et de ses réflexions ; à Sarah Cooper et Michael Bradley, qui m'ont soutenue et invitée à dîner ; à Coleen Quinn, qui me garde en forme ; à Gene Goldberg qui, au téléphone, parle plus vite que son ombre ; à Eileen Allen et à Melinda Dabaay et, enfin, à Arthur Gelgoot Associates. Mille mercis aussi à Jamie Byng de Canongate, qui a jailli d'un fourré d'ajoncs en Écosse pour me convaincre d'écrire le présent livre.

---

* *N.d.T.* En français dans le texte.

Table des matières

MISE EN PAGES ET TYPOGRAPHIE :
LES ÉDITIONS DU BORÉAL

ACHEVÉ D'IMPRIMER EN OCTOBRE 2005
SUR LES PRESSES DE L'IMPRIMERIE GAUVIN
À GATINEAU (QUÉBEC).